LES VICTORIEUSES

Cinéaste, scénariste, comédienne et romancière, Laetitia Colombani est l'auteure de *La Tresse*, vendu à plus d'un million d'exemplaires en France, traduit dans quarante langues et couronné d'une vingtaine de prix littéraires. Le roman est actuellement en cours d'adaptation pour le grand écran.

Paru au Livre de Poche :

LA TRESSE

LAETITIA COLOMBANI

Les Victorieuses

ROMAN

GRASSET

© Éditions Grasset & Fasquelle, 2019.
ISBN : 978-2-253-93463-9 – 1ʳᵉ publication LGF

À ma mère

À ma fille

À toutes les femmes du Palais

« *Tant que des femmes pleureront, je me battrai*
Tant que des enfants auront faim et froid,
je me battrai (…)
Tant qu'il y aura dans la rue une fille
qui se vend, je me battrai (…)
Je me battrai, je me battrai, je me battrai. »

William BOOTH

« *Une chose est certaine, les morts hantent*
les lieux où ils ont vécu comme si,
par un principe d'infusion, leur souvenir
imprégnait le sol. »

Sylvain TESSON,
Une très légère oscillation.

Le sol est glacé.
Telle est la pensée qui me vient, alors que je suis allongée
là, le front contre la pierre, les bras en croix.
Aujourd'hui, je choisis cet endroit comme demeure éter-
nelle.
Je prononce mes vœux perpétuels. Tel est mon choix.
Entre ces murs, je vais passer ma vie.
J'ai voulu me soustraire au monde, pour mieux en faire
partie.
Je suis à la fois en son cœur, et loin de lui.

Je me sens plus utile ici que dans les faubourgs animés
qui m'entourent.
Dans ce cloître où le temps a arrêté son cours,
Je ferme les yeux et je prie.

Je prie pour ceux qui en ont besoin,
Ceux que la vie a blessés, entamés,
Laissés sur le bord du chemin.
Je prie pour ceux qui ont froid, qui ont faim,
Qui ont perdu l'espoir, qui ont perdu l'envie.
Je prie pour ceux qui n'ont plus rien.

Ma prière s'élève d'entre les pierres,
Dans ce jardin, ce potager,
Cette chapelle glacée en hiver,
Cette cellule minuscule que l'on m'a attribuée.

Vous qui passez dans ce monde,
Poursuivez vos chants et vos rondes.
Je suis là, dans le silence et l'ombre,
Et je prie, pour qu'au milieu du fracas et du bruit
Si d'aventure, vous veniez à tomber,
Une main se tende, douce et puissante,
Une main amie,
Qui vous agrippe et vous relève
Et vous renvoie sans vous juger,
Dans le grand tourbillon de la vie,
Où vous continuerez à danser.

Sœur anonyme,
Couvent des Filles de la Croix,
XIXe siècle

Chapitre 1

Paris, aujourd'hui

Tout s'est passé en un éclair. Solène sortait de la salle d'audience avec Arthur Saint-Clair. Elle s'apprêtait à lui dire qu'elle ne comprenait pas la décision du juge à son encontre, ni la sévérité dont il venait de témoigner. Elle n'en a pas eu le temps.

Saint-Clair s'est élancé vers le garde-corps en verre et l'a enjambé.

Il a sauté de la coursive du sixième étage du Palais.

Durant quelques instants qui ont duré une éternité, son corps est resté suspendu dans le vide. Puis il est allé s'écraser vingt-cinq mètres plus bas.

La suite, Solène ne s'en souvient pas. Des images lui apparaissent dans le désordre, comme au ralenti. Elle a dû crier, certainement, avant de s'effondrer.

Elle s'est réveillée dans une chambre aux murs blancs.

Le médecin a prononcé ces mots : *burn-out*. Au début, Solène s'est demandé s'il parlait d'elle ou de son client. Et le fil de l'histoire s'est reconstitué.

Elle connaissait depuis longtemps Arthur Saint-Clair, un homme d'affaires influent mis en examen pour fraude fiscale. Elle savait tout de sa vie, les mariages, les divorces, les petites amies, les pensions alimentaires versées à ses ex-femmes et ses enfants, les cadeaux qu'il leur rapportait de ses voyages à l'étranger. Elle avait visité sa villa à Sainte-Maxime, ses somptueux bureaux, son superbe appartement du VII⁰ arrondissement de Paris. Elle avait reçu ses confidences et ses secrets. Solène avait passé des mois à préparer l'audience, ne laissant rien au hasard, sacrifiant ses soirées, ses vacances, ses jours fériés. Elle était une excellente avocate, travailleuse, perfectionniste, consciencieuse. Ses qualités étaient unanimement appréciées dans le cabinet réputé où elle exerçait. L'aléa judiciaire existe, tout le monde le sait. Pourtant, Solène ne s'attendait pas à une telle sentence. Pour son client, le juge a retenu la prison ferme, des millions d'euros de dommages et intérêts. Une vie entière à payer. Le déshonneur, le désaveu de la société. Saint-Clair ne l'a pas supporté.

Il a préféré se jeter dans le vide, dans le gigantesque puits de lumière du nouveau Palais de Justice de Paris.

Les architectes ont pensé à tout sauf à ça. Ils ont conçu un bâtiment élégant au design parfait, un « palais de verre et de lumière ». Ils ont choisi des façades hautement résistantes pour parer aux menaces d'attentat, installé des portiques de sécurité, des équipements de contrôle aux entrées, des caméras. Le site est truffé de points de détection d'intrusion, de portes à accès électronique, d'interphones et d'écrans dernier cri. Dans leurs plans, les concepteurs ont simplement oublié que la justice est rendue par des hommes à d'autres hommes parfois désespérés. Les salles d'audience sont réparties sur six étages surplombant un atrium de 5 000 m². Vingt-huit mètres de hauteur de plafond, l'espace a de quoi donner le vertige. De quoi donner des idées à ceux que la justice vient de condamner.

En prison, on multiplie les filets de sécurité pour prévenir les risques de suicide. Mais pas ici. De simples rambardes bordent les coursives. Saint-Clair n'a eu qu'un pas à faire pour enjamber le garde-corps et sauter.

Cette image hante Solène, elle ne peut l'oublier. Elle revoit le corps de son client, désarticulé, sur les dalles en marbre du Palais. Elle songe à sa famille, à ses enfants, à ses amis, à ses employés. Elle est la dernière à lui avoir parlé, à s'être assise à ses côtés. Un sentiment de culpabilité l'accable. Où s'est-elle trompée ? Qu'aurait-elle dû dire ou faire ? Aurait-elle pu anticiper, imaginer le pire ? Elle connaissait la personnalité d'Arthur Saint-Clair, mais son geste demeure un mystère. Solène n'a pas vu en lui le désespoir, l'effondrement, la bombe sur le point d'exploser.

Le choc a provoqué une déflagration dans sa vie. Solène est tombée, elle aussi. Dans la chambre aux murs blancs, elle passe des jours entiers les rideaux fermés, sans pouvoir se lever. La lumière lui est insupportable. Le moindre mouvement lui paraît surhumain. Elle reçoit des fleurs de son cabinet, des messages de soutien de ses collègues, qu'elle ne parvient pas même à lire. Elle est en panne, telle une voiture sans carburant au bord de la chaussée. En panne, l'année de ses quarante ans.

Burnout, en anglais le terme paraît plus léger, plus branché. Il sonne mieux que *dépression*. Au début, Solène n'y croit pas. Ce n'est pas elle, non, elle n'est pas concernée. Elle ne ressemble en rien à ces personnes fragiles dont les témoignages emplissent les pages des magazines. Elle a toujours été forte, active, en mouvement. Solidement arrimée, du moins le pensait-elle.

Le surmenage professionnel est un mal fréquent, lui dit le psychiatre d'une voix calme et posée. Il prononce des mots savants qu'elle entend sans vraiment les comprendre, sérotonine, dopamine, noradrénaline, et des noms de toutes les couleurs, anxiolytiques, benzodiazépines, antidépresseurs. Il lui prescrit des pilules à prendre le soir pour dormir, le matin pour se lever. Des cachets pour l'aider à vivre.

Tout avait pourtant bien commencé. Née dans une banlieue aisée, Solène est une enfant intelligente, sensible et appliquée, pour laquelle on nourrit de grands projets. Elle grandit entre deux parents professeurs de droit et une petite sœur. Elle mène une scolarité sans heurts, est reçue à vingt-deux ans au barreau de Paris, obtient une place de collaboratrice dans un cabinet réputé. Jusque-là, rien à signaler. Bien sûr, il y a l'accumulation de travail, les week-ends, les nuits, les vacances consacrés aux dossiers, le manque de sommeil, la répétition des audiences, des rendez-vous, des réunions, la vie lancée comme un train à grande vitesse qu'on ne peut arrêter. Bien sûr, il y a Jérémy, celui qu'elle aime plus que les autres. Celui qu'elle n'arrive pas à oublier. Il ne voulait pas d'enfant, pas d'engagement. Il le lui avait dit, et ce choix lui convenait. Solène n'était pas de ces femmes que la maternité fait rêver. Elle ne se projetait pas dans l'image de ces jeunes mamans qu'on croise sur les trottoirs, manœuvrant leur poussette de leurs bras épuisés. Elle laissait ce plaisir à sa sœur, qui semblait épanouie dans son rôle de mère au foyer. Solène tenait trop à sa liberté – du moins, c'est ce qu'elle prétendait. Jérémy et elle vivaient chacun de leur côté. Ils étaient un couple moderne – amoureux mais indépendants.

La rupture, Solène ne l'a pas vue venir. L'atterrissage a été violent.

Au bout de quelques semaines de traitement, elle parvient à quitter la chambre aux murs blancs pour faire un tour dans le parc. Assis sur le banc près d'elle, le psychiatre la félicite de ses progrès comme on flatte un enfant. Elle pourra bientôt regagner son appartement, lui dit-il, à condition de continuer son traitement. Solène accueille la nouvelle sans joie. Elle n'a pas envie de se retrouver seule chez elle, sans but, sans projet.

Certes, elle habite un trois pièces élégant dans un beau quartier, mais l'endroit lui paraît froid, trop grand. Dans ses placards, il y a ce pull en cachemire que Jérémy a oublié et qu'elle met en secret. Il y a ces paquets de chips américaines au goût artificiel dont il raffolait et qu'elle achète toujours, sans savoir pourquoi, au supermarché. Des chips, Solène n'en mange pas. Le bruissement du sachet pendant les films ou les émissions l'agaçait. Aujourd'hui, elle donnerait n'importe quoi pour l'entendre, encore une fois. Le bruit des chips de Jérémy, à ses côtés, sur le canapé.

Elle ne retournera pas au cabinet. Ce n'est pas de la mauvaise volonté. La seule idée de passer les portes du Palais de Justice lui donne la nausée. Longtemps, elle évitera même le quartier. Elle va démissionner, se faire *omettre* selon l'expression consacrée – le terme est plus doux, il sous-entend la possibilité d'un retour. De retour, pourtant, il ne peut être question.

Solène avoue au psychiatre qu'elle redoute de quitter la maison de santé. Elle ignore à quoi ressemble une vie sans travail, sans horaires, sans réunions, sans obligations. Sans amarre, elle craint de dériver. *Faites quelque chose pour les autres*, lui suggère-t-il, *pourquoi pas du bénévolat ?*… Solène ne s'attendait pas à cela. La crise qu'elle traverse est une *crise de sens*, poursuit-il. *Il faut sortir de soi, se tourner vers les autres, retrouver une raison de se lever le matin. Se sentir utile à quelque chose ou à quelqu'un.*

Des comprimés et du bénévolat, voilà tout ce qu'il a à lui proposer ? Onze ans d'études de médecine pour en arriver là ? Solène est déconcertée. Elle n'a rien contre l'action bénévole, mais elle ne se sent pas l'âme d'une Mère Teresa. Elle ne voit pas qui elle pourrait aider dans son état, alors qu'elle parvient à peine à sortir de son lit.

Mais il a l'air d'y tenir. *Essayez*, insiste-t-il, tout en signant le formulaire de sortie.

Chez elle, Solène passe des journées à dormir sur le canapé, à feuilleter des revues qu'elle regrette aussitôt d'avoir achetées. Les appels et visites de sa famille et de ses amis ne parviennent pas à la tirer de sa mélancolie. Elle n'a goût à rien, pas envie de faire la conversation. Tout l'ennuie. Elle erre sans but dans son appartement, de la chambre au salon. De temps en temps, elle descend à l'épicerie du coin et s'arrête à la pharmacie pour renouveler ses cachets, avant de remonter se coucher.

Par une après-midi désœuvrée – elles le sont toutes à présent – elle s'installe à son ordinateur, un MacBook dernier cri offert par ses collègues pour ses quarante ans, juste avant son burn-out – il n'a pas beaucoup servi. Du bénévolat… Après tout, pourquoi pas ? Le moteur de recherche l'oriente vers un site de la Mairie de Paris, recensant les annonces postées par les associations. Le nom de domaine la surprend : *jemengage.fr*. « L'engagement à portée de clic ! » promet la page d'accueil. Une multitude de questions y sont posées : où voulez-vous aider ? Quand ? Comment ? Solène n'en a aucune idée. Un menu déroulant propose des intitulés de mission : atelier d'alphabétisation destiné aux personnes illettrées, visite à domicile de malades d'Alzheimer, cyclolivreur de dons alimentaires, maraude de nuit pour les sans-abri, accompagnement de ménages surendettés, soutien scolaire en milieu défavorisé, modérateur de débats citoyens, sauveteur d'animaux en détresse, aide aux personnes exilées, parrainage de chômeurs longue durée, distribution de repas, conférencier en maison de retraite, animateur dans des hôpitaux, visiteur de prison, responsable de vestiaire solidaire, tuteur de lycéens handicapés, permanence téléphonique SOS Amitié, formateur aux gestes de premiers secours… Est même proposée une mission d'*ange gardien*. Solène sourit – elle se demande où est passé le sien. Il a dû voleter un peu trop loin, il s'est perdu en chemin. Elle arrête ses recherches, désemparée par la profusion d'annonces. Toutes ces causes sont nobles et méritent d'être défendues. L'idée de faire un choix la paralyse.

Du temps, voilà ce que demandent les associations. Sans doute ce qu'il y a de plus difficile à donner dans une société où chaque seconde est comptée. Offrir son temps, c'est s'engager vraiment. Du temps, Solène en a, mais l'énergie lui manque cruellement. Elle ne se sent pas prête à sauter le pas. La démarche est trop exigeante, nécessite trop d'investissement. Elle préfère encore donner de l'argent – c'est moins contraignant.

Au fond d'elle-même, elle se sent lâche de renoncer. Elle va refermer le MacBook, retourner sur le canapé. Se rendormir, pour une heure, pour un mois, pour un an. S'abrutir à coups de cachets pour ne plus penser.

C'est à cet instant qu'elle l'aperçoit. Une petite annonce, tout en bas. Quelques mots qu'elle n'avait pas remarqués.

Chapitre 2

Mission d'écrivain public. Nous contacter.
À la lecture de l'annonce, Solène est parcourue d'un étrange frisson. *Écrivain.* Un mot seulement, et tout revient.

Avocate, ce n'était pas sa vocation. Enfant, Solène avait une imagination foisonnante. À l'adolescence, elle avait révélé des dispositions particulières en français. Ses professeurs s'accordaient à dire qu'elle était douée. Elle noircissait des cahiers de poèmes, de nouvelles qu'elle ne se lassait pas d'inventer. Elle rêvait en secret de devenir écrivaine. Elle s'y voyait déjà, assise à un bureau sa vie durant, un chat sur les genoux comme Colette, dans une *chambre à soi* telle Virginia.

Lorsqu'elle avait révélé son projet à ses parents, ils s'étaient montrés plus que réticents. Tous deux professeurs de droit, ils considéraient d'un œil méfiant les vocations artistiques, ce chemin à part, méconnu, éloigné des sentiers battus. Il fallait choisir un métier sérieux, reconnu par la société. C'est cela qui comptait.

Un métier sérieux. Peu importe qu'il vous rende heureux.

Les livres, ça ne paie pas, avait dit son père. *À moins d'être Hemingway, mais ça…* Il avait laissé la fin de la phrase en suspens. Solène avait saisi ce que ce flottement signifiait. Il voulait dire *ça dépend*. Ça dépend de ton talent. Ça dépend des autres aussi. Ça dépend de tant de choses que nous ne maîtrisons pas et qui nous effraient. Il voulait dire *laisse tomber. Ne rêve pas.*

Fais plutôt du droit, avait-il repris. *Écrire, tu peux toujours le faire pour toi.* Alors Solène avait ravalé ses espoirs, son chat sur les genoux et ses romans de Virginia. Elle était rentrée dans le rang, en bon petit soldat. Ses parents voulaient une fille avocate, elle se conformerait à leurs souhaits. Elle réaliserait leur projet à défaut du sien. *Le droit, ça mène à tout*, avait ajouté sa mère. Elle avait menti. Le droit ne mène à rien. Il ne renvoie qu'à lui-même. Il a conduit Solène dans cette chambre aux murs blancs, où elle tente d'oublier les années qu'elle lui a consacrées. Lorsqu'ils lui rendent visite à la maison de santé, ses parents avouent ne pas comprendre son état. *Tu as tout pour toi,* disent-ils, *une place dans un cabinet réputé, un bel appartement*… Et après ? songe Solène amèrement. Sa vie ressemble à une maison témoin que l'on fait visiter. La photo est jolie, mais il manque l'essentiel. Elle n'est pas habitée. Lui revient cette citation de Marilyn Monroe qui l'avait marquée : *Une carrière c'est bien, mais ce n'est pas ce qui vous tient chaud aux pieds la nuit.* Les pieds de Solène sont glacés. Son cœur aussi.

Oublier ses rêves d'enfant, c'est facile, il suffit de ne plus y penser. De les recouvrir d'un voile comme on recouvre d'un drap les meubles d'une maison qu'on s'apprête à quitter. À ses débuts au cabinet, Solène continue à écrire, profitant de chaque moment de liberté que lui laissent ses fonctions de collaboratrice. Mais les textes s'espacent. Dans son emploi du temps surchargé, les mots ne trouvent plus leur place. L'avocature est exigeante, Solène l'est aussi. Le travail se met à grignoter ses jours de congé, ses vacances, ses week-ends, ses soirées. Monstre impavide qu'elle ne peut rassasier, il dévore ses sorties entre amis, ses activités. Ses amours, aussi. Des histoires, elle en a, mais ses amants finissent par déclarer forfait lorsqu'ils comprennent qu'ils ne sont pas de taille à lutter. Les nuits passées à travailler, les dîners manqués pour cause d'urgence au cabinet, les vacances annulées à la dernière minute ont raison de toutes ses relations. Solène poursuit néanmoins sa marche forcée. Pas le temps de souffrir, pas le temps de pleurer.

24

Jusqu'à Jérémy.

Un avocat séduisant, cultivé, plein d'esprit, rencontré lors de l'élection du bâtonnier de Paris. Ils exerçaient tous deux la même profession, ce qui rassurait Solène. Jérémy la comprenait, il avait les mêmes priorités, pensait-elle. Une amie l'avait pourtant prévenue : « Deux avocats dans un couple, c'est un de trop. » Elle ne s'était pas trompée. Jérémy l'a quittée pour une femme moins brillante mais plus disponible, croisée lors d'un dîner où Solène n'avait pu le rejoindre, accaparée par un dossier.

Écrivain public. Les mots sont puissants. Ils sont des bombes à retardement. Solène reste longtemps devant l'intitulé de l'annonce. Un lien renvoie au site d'une association, La Plume solidaire. Sur la page d'accueil, la fonction d'écrivain public est détaillée : *Professionnel(le) de la communication écrite, il ou elle répond aux demandes d'aide à la rédaction. Celles-ci peuvent être de différentes natures, concerner aussi bien des lettres personnelles que des courriers administratifs. Les compétences requises sont les suivantes : être polyvalent(e), maîtriser les règles de syntaxe, d'orthographe et de grammaire, avoir une aisance rédactionnelle, une bonne connaissance des instances administratives, maîtriser Internet et les logiciels de traitement de texte. Une formation juridique et économique est recommandée.*

Les compétences, Solène les a. L'annonce lui correspond en tout point. À l'université, ses professeurs louaient la fluidité de son style, la richesse de son vocabulaire. Au cabinet, il n'était pas rare que ses confrères viennent lui demander conseil pour rédiger leurs conclusions. *Tu écris bien,* lui disait-on.

Mettre ses mots au service de ceux qui en ont besoin, l'idée lui plaît. Elle saurait faire cela. Oui, elle saurait.

Un dernier point précise qu'il faut avoir *un bon sens de l'écoute.* Auprès de ses clients, Solène a appris à se mettre en retrait, à les laisser se confier. Un bon avocat est aussi un psychologue, un confident. Elle a recueilli son lot de confessions, de secrets jusque-là inavoués ; des larmes, elle en a séché. Elle a ce talent-là. Elle est de ceux à qui l'on parle volontiers.

Il faut sortir de soi, a dit le psychiatre, *se sentir utile à quelque chose ou à quelqu'un.* Sans plus réfléchir, Solène clique sur l'onglet « contact » de l'association. Elle rédige un message et l'envoie. Après tout, cela vaut mieux que de mourir à petit feu sur le canapé. Et puis La Plume solidaire est un joli nom, se dit-elle, cela ne coûte rien d'essayer.

Le lendemain matin, elle reçoit un coup de fil du responsable de l'association. Il s'appelle Léonard. Au téléphone, sa voix est claire, enjouée. Il lui propose un rendez-vous le jour même dans son bureau du XIIᵉ arrondissement. Prise de court, Solène accepte et note l'adresse sur un bout de papier.

S'habiller lui demande un effort. Ces derniers temps, elle traînait en jogging, descendant à l'épicerie vêtue de leggings et du vieux pull de Jérémy. Sortir de chez elle lui coûte. Elle est à deux doigts de renoncer. Elle n'a pas envie de prendre le métro jusqu'à ce quartier excentré. Elle n'est pas sûre de pouvoir répondre à des questions ni entretenir une conversation.

Mais la voix au téléphone paraissait sympathique. Alors Solène avale des cachets et se rend à l'adresse indiquée. L'endroit n'est pas très engageant. Un immeuble vétuste au fond d'une impasse. La porte d'entrée lui résiste – *l'interphone est cassé,* précise un locataire qui la croise en sortant, *l'ascenseur aussi.* Solène monte à pied les cinq étages menant au siège de La Plume solidaire. Un homme d'une quarantaine d'années l'accueille à bras ouverts. Il semble heureux de la rencontrer et la fait pénétrer dans ce qu'il appelle fièrement les « locaux de l'association », un minuscule bureau encombré d'un invraisemblable bazar. Solène songe à son appartement impeccablement rangé et se demande comment on peut travailler dans un tel chantier.

Léonard débarrasse une chaise d'un monticule de lettres et l'invite à s'asseoir. Il lui propose une tasse de café, que Solène accepte sans savoir pourquoi – elle n'en boit jamais, elle préfère le thé. Le liquide est amer, presque froid. Par politesse, elle se force à l'avaler, en notant mentalement de décliner la prochaine fois.

Léonard chausse une paire de lunettes et parcourt son curriculum vitae d'un air étonné. Il avoue recevoir plus souvent des retraités désœuvrés qu'une avocate d'un grand cabinet. Sur les raisons qui l'ont menée là, Solène ne s'étend pas. Elle ne dit pas la dépression, le burn-out, la mort d'Arthur Saint-Clair qui a fait basculer sa vie. Elle évoque une reconversion. Pas question de se confier, d'entrer dans une quelconque forme d'intimité avec un inconnu. Elle n'est pas venue pour ça. Tandis que Léonard achève la lecture du document, elle observe les dessins d'enfants affichés sur le mur derrière lui. L'un d'eux est agrémenté d'un *je teme* au tracé malhabile. Un dinosaure en argile *fait main* trône au milieu du bureau en guise de presse-papiers. *C'est un Deltadromeus*, précise Léonard. *On dirait un T-Rex, mais ses pattes sont plus fines. On confond souvent.* Solène acquiesce. C'est donc ça, avoir une vie – s'y connaître en noms de dinosaure compliqués et collectionner les mots d'amour mal orthographiés.

Léonard lui rend son CV, en la félicitant pour son parcours et ses diplômes. Son profil est parfait ! Une aubaine pour l'association ! Quand peut-elle commencer ? Solène marque un temps, désarçonnée. C'est l'entretien le plus bref qu'elle ait jamais passé. Elle se souvient des multiples étapes de recrutement du cabinet lorsqu'elle avait postulé comme collaboratrice. Un processus long, éreintant. Bien sûr, elle ne s'attendait pas à un tel niveau d'exigence, mais elle pensait au moins qu'on la questionnerait sur son expérience. *Nous manquons de bénévoles,* avoue Léonard, *nous avons eu deux décès récemment parmi nos retraités.* Réalisant que ce détail n'est pas très engageant, il se met à rire : *tous les membres de l'association ne meurent pas,* précise-t-il, *certains survivent, parfois.* Solène sourit, malgré elle. Léonard en fait trop mais il n'est pas déplaisant. Son énergie est communicative. Il ajoute que l'association propose habituellement une formation de deux jours aux candidats, mais que dans son cas, cela paraît superflu. Solène est surdiplômée, elle devrait sans peine s'adapter. Elle saura rédiger des courriers administratifs, remplir des formulaires, conseiller, guider, accompagner les personnes qui viendront la trouver.

Plongeant dans l'amoncellement de papiers qui jonchent son bureau, Léonard en ressort une feuille – on pense que c'est du désordre, commente-t-il, mais il sait exactement où se trouve chaque document. Il a une mission à lui proposer dans un foyer pour femmes en difficulté. Il s'agit d'assurer une permanence d'une heure par semaine afin d'aider les résidentes dans leurs travaux de rédaction.

Solène marque un temps. Un foyer pour femmes, l'idée ne l'enchante pas. Elle pensait qu'on l'enverrait plutôt dans une mairie ou une administration. Qui dit foyer dit misère, précarité – elle n'est pas préparée à ça. Une préfecture, voilà qui serait parfait... Léonard secoue la tête, il n'a rien de ce genre-là. Disparaissant à nouveau sous l'amas de papiers, il en tire deux autres propositions. Une maison d'arrêt en grande banlieue... et une unité de soins palliatifs pour malades en fin de vie. Solène est accablée. La prison, elle l'a fréquentée en tant qu'avocate, non merci, elle a déjà donné. Quant aux soins palliatifs... Peut-être pas la meilleure option pour quelqu'un qui cherche à sortir d'une dépression. Elle est prise d'une brusque envie de s'enfuir. Elle se demande soudain ce qu'elle fait là. Quelle errance a pu la mener dans cet obscur bureau de ce quartier perdu ? Qu'est-elle venue chercher ?

Léonard attend, suspendu à ses lèvres, les yeux si pleins d'espoir qu'il en est presque touchant. Il attend, comme un prévenu lors d'un jugement. Solène n'a pas le courage de dire non. Elle a trouvé la force de venir ici, de monter les cinq étages, d'avaler le café le plus mauvais de sa vie. Le mois dernier, elle n'était pas même capable de sortir de son lit. Elle doit poursuivre ses efforts, continuer.

C'est d'accord, laisse-t-elle échapper. Va pour le foyer.

Léonard s'éclaire, comme si quelqu'un venait d'allumer la lumière derrière ses verres épais. Il a l'air d'un enfant recevant un cadeau inespéré. Il va prévenir la directrice du foyer ! C'est elle qui accueillera Solène. Il est désolé de ne pouvoir l'accompagner pour sa première séance – il assume lui-même trois permanences dans des quartiers défavorisés, impossible de se libérer. Mais il est sûr que tout va bien se passer ! Qu'elle n'hésite pas à l'appeler... Il griffonne un numéro de portable au dos d'un prospectus de l'association – il n'a pas de carte, il faut qu'il pense à en commander. À ces mots, il se lève, reconduit Solène à la porte, lui souhaite bonne chance et l'abandonne sur le palier.

Solène n'a pas le temps de protester. Elle rentre chez elle, avec la désagréable impression qu'on lui a forcé la main. Elle s'est laissé entraîner trop loin. *Écrivain public*, l'expression est jolie, la réalité le sera sans doute moins. Les mots l'ont piégée. Elle ne s'est pas méfiée.

Elle avale les nombreux cachets que le psychiatre lui a prescrits, et se met au lit.

Après tout, se dit-elle avant de sombrer, il n'est peut-être pas trop tard pour renoncer.

Chapitre 3

Paris, 1925

Pas ce soir.
Il fait trop froid.
S'il te plaît, n'y va pas.

Par la fenêtre du salon, Albin regarde les flocons tomber dru sur la capitale. En ce début du mois de novembre, les températures sont glaciales. Un vent du nord souffle dans les allées, arrachant aux arbres leurs dernières feuilles. Paris se couvre d'un linceul.

Blanche, tu m'entends ?
Tu n'es pas en état.

Blanche ne l'écoute pas. Elle boutonne sa jupe, enfile sa jaquette en jersey bleu marine, sans prêter attention à ses protestations. Albin est inquiet. Blanche s'est remise à tousser. Son affection des poumons est en train de s'aggraver. Elle n'a pas dormi de la nuit, les quintes l'ont assaillie, des heures durant, l'abandonnant exsangue au petit matin. Il la supplie d'aller voir le médecin.

À quoi bon ? souffle-t-elle. Le docteur Hervier lui prescrira du repos et des cures au grand air, la belle affaire ! Blanche n'a pas l'intention de s'exiler dans ces établissements destinés aux malades et aux retraités. Albin évoque leur maison de Saint-Georges en Ardèche ; ils pourraient s'installer là-bas, loin du rythme effréné de Paris, mener une vie paisible. Voilà qui serait bon pour sa santé. Voilà qui serait *raisonnable*, a-t-il le malheur d'ajouter.

Raisonnable, Blanche ne l'est pas. Elle ne l'a jamais été. *Je ne suis pas en état, et après ?* lance-t-elle. *Je me reposerai dans l'éternité.* La sacro-sainte phrase est lâchée ! Albin se fâche, il l'a entendue tant de fois. Autant que ses promesses de se soigner. Sa femme est une obstinée. Une guerrière, un chevalier. Il se dit qu'elle mourra ainsi, l'épée à la main, au combat.

Il la regarde sortir, vaincu. Il sait qu'aucun argument ne la retiendra. Blanche n'a jamais différé quoi que ce soit pour raisons de santé. Ce n'est pas à cinquante-huit ans qu'elle va commencer. Les trois S à son col sont plus qu'un ornement. Ils sont une mission, une vocation, sa raison d'exister.

Soupe. Savon. Salut. Trois mots résumant à eux seuls l'engagement de sa vie : venir en aide aux plus démunis. Tel est le credo de l'organisation qu'elle sert fidèlement depuis près de quarante ans.

Blanche naît à Lyon en 1867, d'un père français et d'une mère écossaise. Elle grandit à Genève. Son père, pasteur, décède lorsqu'elle n'a que onze ans. Sa mère se retrouve seule à élever leurs cinq enfants. Cadette de la fratrie, Blanche témoigne déjà d'un fort tempérament. Éprouvant une profonde empathie pour la souffrance d'autrui, elle entre en rébellion contre toutes les formes d'injustice. À l'école de filles, elle se bat contre les plus grandes pour protéger les plus petites. Elle est souvent punie. Il n'est pas rare de la voir rentrer les genoux couverts d'ecchymoses, la blouse déchirée, salie. Sa mère la sermonne, en vain. Elle ignore que la sensibilité exacerbée de sa fille est un don, un talent qui la portera vers les plus grands projets, les plus nobles missions.

Adolescente, Blanche aime s'amuser. Elle monte à cheval, patine, canote, va danser. Avec son amie Loulou, elle fait les quatre cents coups. Elle a *la grâce et l'entrain*, dit-on d'elle dans la famille. Celle qu'on surnomme « la petite mondaine » semble vouloir profiter de tout ce que la société genevoise peut offrir de divertissant.

À dix-sept ans, elle est envoyée en Écosse dans la famille de sa mère, qui pense qu'un *petit changement d'air* lui serait favorable. Dans une réunion de salon, elle croise alors celle qu'on surnomme « la Maréchale », Catherine, fille aînée du pasteur anglais William Booth. Blanche a entendu parler de cet homme que beaucoup traitent d'illuminé ; il rêve de changer le monde, d'en abolir les inégalités. Parce que *certains combats méritent une armée*, il vient de créer une organisation inspirée du modèle militaire. École, drapeau, uniforme, hiérarchie, rien ne manque à la panoplie. Son mouvement a pour ambition de lutter partout contre la misère, sans distinction de nationalité, de race ou de religion. Partie d'Angleterre, son Armée du Salut va conquérir la terre entière.

Dans ce salon de Glasgow, la Maréchale prend l'assistance à partie : *Et vous ? Qu'allez-vous faire de votre vie ?* lance-t-elle à Blanche. La jeune fille est saisie. Ces mots résonnent en elle comme une voix claire dans une cathédrale. Comme un sursaut. Comme un appel. Ils font écho à cette phrase d'un texte entendu au temple, qui l'a intriguée : *Quitte tout et tu trouveras tout.*

Tout donner. Tout quitter. En est-elle capable, elle, « la petite mondaine » qui aime tant s'amuser ? Une vocation imprévue lui tombe dessus. Cet élan la surprend. Est-ce donc là sa mission ? Est-ce le sens de sa vie ?

Jette l'or dans la poussière,
L'or d'Ophir parmi les cailloux des torrents.

La lecture du livre de Job lui indique la marche à suivre... Blanche vend ses bijoux et reverse l'argent à l'Armée. Loin de s'en trouver attristée, elle se sent étonnamment légère. Cet acte marque le début de son engagement. Blanche a trouvé sa voie. Les mots de Job seront sa lanterne, ils la guideront, sa vie durant – et au-delà.

De retour chez elle, Blanche annonce sa décision de s'enrôler dans l'Armée. Elle va intégrer l'École militaire de Paris ! Sa mère la met en garde : elle connaît les conditions de vie des salutistes – le frère aîné de Blanche vient lui-même de s'engager. Elle redoute pour sa cadette cette existence hasardeuse, accidentée, loin du milieu protégé dans lequel elle a grandi. Blanche a une mauvaise santé, ses poumons sont fragiles. Depuis l'enfance, elle doit faire des cures répétées. Son propre frère tente de dissuader la jeune femme, sans succès. Blanche ne veut rien d'autre que cela, cet engagement, ce défi qu'elle se sent prête à relever.

Elle ne se projette pas dans une vie se limitant aux contours d'un foyer. Elle rêve d'horizons plus vastes. En l'Armée, Blanche trouve plus qu'une vocation, un moyen d'échapper au chemin tout tracé qui lui est promis. Cette fin de XIXᵉ siècle offre peu de perspectives aux filles issues de la bourgeoisie. Instruites dans les couvents, elles sont mariées à des hommes qu'elles n'ont pas choisis. *Nous les élevons comme des saintes, puis nous les livrons comme des pouliches*, écrit George Sand, qui refuse haut et fort l'hymen qu'on veut lui imposer. Il est très mal vu pour une femme de travailler. Seules les veuves et les célibataires sont réduites à cette extrémité. Peu d'emplois leur sont accessibles, hormis la domesticité, la confection, le spectacle et la prostitution.

Dès la création de l'Armée, William Booth a institué dans ses rangs l'égalité absolue des sexes. Les femmes y sont d'ailleurs majoritaires : sept officiers sur dix sont des officières. Booth leur accorde la liberté de prêcher, provoquant le tollé des autres institutions religieuses. Il n'hésite pas à l'affirmer dans les assemblées : *Mes meilleurs hommes sont des femmes !* Cette mixité choque, fait scandale. À Londres, on raille les officières salutistes en uniforme, coiffées de leur chapeau Alléluia, ce couvre-chef à larges bords qu'elles portent hiver comme été. À Paris, on siffle à leur passage, on miaule, on crie des *hi-han* de baudet pour les empêcher de prendre la parole en public. On jure que des crapauds sortiront de leur bouche. On les traite d'hommes en jupons. On conspue *l'Armée du Chahut* et ses femmes soldats. Blanche se moque des quolibets. Elle est tout aussi capable qu'un homme de prêcher. Et elle va le prouver.

Dans l'entourage de Blanche, sa décision de s'enrôler suscite la défiance. Sa meilleure amie Loulou lui écrit pour tenter de l'en dissuader : *Je garderai toujours mon idée que ce n'est point le rôle d'une femme de courir les rues de Paris, qu'une femme qui prêche est une chose aussi peu naturelle qu'un homme qui raccommode ses bas, et que la vraie, la seule, la plus noble mission de la femme est de se consacrer toute à son intérieur, à sa famille où, passant inaperçue, elle fait le bonheur de son mari et s'occupe exclusivement de ses enfants.* Peine perdue. Blanche n'a pas l'intention de raccommoder des bas toute sa vie. Elle n'a que faire du rôle de figurante qu'on veut lui assigner. Elle rêve de monter sur la scène, de se rendre utile. De *faire quelque chose pour la France*, dit-elle. Les protestations des uns et des autres restent vaines. Blanche quitte définitivement Genève pour l'École militaire de Paris.

Dans le foyer de l'avenue de Laumière où sont logées les nouvelles recrues de l'Armée du Salut, Blanche découvre un quotidien âpre. Quel que soit leur grade, les soldats connaissent la fatigue des veilles répétées, le froid, les jeûnes prolongés. Ils vivent dans un grand dénuement. Il n'est pas rare que Blanche fasse bouillir des orties pour le dîner. En Angleterre et en Suisse, le mouvement salutiste parvient à s'implanter, mais la France lui résiste. De tradition catholique, le pays voit d'un mauvais œil cette armée de protestants qui cherche à se déployer. Partout sur le territoire, ses officiers sont persécutés. Ils sont reçus à coups de pierres, à coups de poing, à coups de pied. Ils sont rossés, lapidés, ébouillantés. Le soir, en rentrant avenue de Laumière, Blanche retrouve collés sur son chapeau et sa robe des œufs pourris, des ordures, la chair des rats crevés qu'on lui a jetés. Un jeune soldat est battu à mort, lynché. Ébranlée, Blanche ne se décourage pas pour autant. C'est à l'aune du danger qu'on mesure l'authenticité d'un engagement. Le sien est pur, entier. Il ne se laisse entamer ni par le doute, ni par la faim, ni par le froid. Il lui semble que sa vie tient là, dans ce combat, dans cette main qu'elle veut tendre à ceux qui n'ont rien.

L'Armée rassasie tous ses instincts : l'empathie pour ce qu'endurent les autres, l'aptitude au dévouement, le culte de l'héroïsme, le goût de l'aventure. L'uniforme de Blanche lui va bien, il semble taillé à sa mesure. Sa mère attendra longtemps le retour de « la petite mondaine ». Elle pensait que la volonté de sa fille vacillerait devant tant d'épreuves, elle s'est trompée. En l'Armée, le talent de Blanche a trouvé où s'incarner.

Promise à un jeune capitaine, Blanche rompt ses fiançailles : elle ne veut pas de chaînes, pas de lien risquant d'entraver ses mouvements. Sa mission ne s'accommodera pas d'une union. Elle jure de rester seule, comme son amie Evangeline, la benjamine de la famille Booth, qu'elle vient de rencontrer dans les rangs de l'Armée. Une amitié qui durera toute une vie. Ensemble, elles s'en font le serment, elles garderont le célibat pour mieux servir l'organisation à laquelle elles se dédient. Telles deux nonnes en habits de guerre. Deux soldats.

Une rencontre, pourtant, va infléchir la décision de Blanche.

Il s'appelle Albin.

Il a dix-neuf ans, et un sourire à briser le plus absolu des serments.

Chapitre 4

Paris, aujourd'hui

Il suffit d'un coup de fil pour tout annuler. Solène va rappeler Léonard et se désister. Elle dira qu'elle s'est trompée, qu'elle reprend le travail à temps plein au cabinet. Mentir, elle sait faire – c'est un métier qu'elle a pratiqué durant des années. Pourtant elle hésite. N'est-ce pas rester dans sa zone de confort, céder à la facilité ? Elle contemple son appartement lisse et propre, cette cage dorée où elle s'est étiolée. Peut-être a-t-elle besoin d'être bousculée, emmenée loin des sentiers balisés ? Elle a toujours suivi la ligne qu'on avait tracée pour elle, n'est-il pas temps, enfin, de s'en écarter ?

Un foyer pour femmes en difficulté. Elle n'a jamais mis les pieds dans ce genre d'endroit. Qui sait ce qui l'attend là-bas ? Des délinquantes, des sans-abri, des exclues, des femmes battues, des prostituées… Elle craint de ne pas être assez forte pour affronter cela. Elle a grandi loin de la misère, dans un environnement protégé. Au cabinet, ses clients étaient des magnats de la finance. Des bandits, certes, mais en costume Cifonelli. Le malheur, le vrai, elle en a été préservée. Elle le voit dans les journaux, dans les reportages télévisés. Elle l'observe de loin, depuis le bon côté de la barrière. Comme tout le monde, elle connaît le mot « précarité », omniprésent dans les médias, mais ne s'est jamais frottée à sa réalité. Son expérience de la pauvreté s'arrête à cette jeune SDF plantée devant la boulangerie, qui tend la main pour quelques pièces ou un morceau de pain. Qu'il neige, qu'il pleuve ou qu'il vente, elle se tient là, un gobelet posé devant elle. Solène la voit tous les matins. Elle n'a jamais pris le temps de s'arrêter. Ce n'est pas du mépris ou de l'indifférence, plutôt une forme d'habitude. La pauvreté fait partie du tableau, c'est ainsi. Elle est acceptée, intégrée comme une donnée invariable du paysage urbain. Qu'on lui donne une pièce ou non, la SDF sera là demain, alors à quoi bon ? La responsabilité de chacun se dilue dans celle de la communauté. Le fait est scientifiquement prouvé : plus nombreux sont les témoins d'une agression, moins ceux-ci réagissent. Il en est de même pour la pauvreté. Solène n'est pas égoïste, elle est comme ces millions d'hommes et de femmes pressés, qui arpentent la capitale sans se retourner. Chacun pour soi, et Dieu pour tous – si Dieu il y a.

Malgré les cachets, elle passe une nuit agitée. La directrice du foyer lui a donné rendez-vous le lendemain. Après avoir tourné dans sa tête toutes les excuses qu'elle pourrait inventer pour se désister, Solène prend une décision. Elle va y aller. Au moins, elle pourra dire qu'elle a essayé. Si l'endroit est trop triste, trop déprimant, elle rappellera Léonard et déclinera la mission. Après tout, elle est en convalescence. Ce bénévolat doit être une thérapie, pas une punition.

Elle arrive en avance au rendez-vous, comme elle en a l'habitude. Un vieux réflexe datant du cabinet. *La ponctualité est la politesse des rois.* Elle a toujours respecté le dicton, en élève appliquée. Elle en a assez d'être la petite fille sage et parfaite. Elle aimerait ficher le camp d'ici, ne pas se présenter au foyer, ne pas s'excuser, se montrer une fois dans sa vie grossière et mal élevée. Et s'en moquer.

Bien sûr, elle n'en fait rien. Elle va s'installer dans un café voisin et commande un thé – ce matin, elle n'a rien avalé, sa gorge était trop nouée. Elle contemple le décor autour d'elle et réalise qu'il s'agit d'un de ces restaurants rendus tristement célèbres par les attentats du 13 novembre 2015, La Belle Équipe. L'endroit a été décimé par les attaques terroristes. Vingt victimes, assises comme elle, en train de boire un verre ou un thé. Solène tressaille à cette pensée. Elle songe au patron du café, à ses clients, ses habitués. Comment font-ils pour se lever le matin ?

Comment parviennent-ils à survivre ? Elle observe les gens en terrasse, leurs visages, leurs expressions. Elle se sent proche d'eux, étrangement. Sont-ils comme elle, fragiles et vacillants ? Ont-ils retrouvé le goût de la vie, l'insouciance, la désinvolture ? Ou ces sentiments ont-ils disparu à jamais ? Solène songe à l'avenir. À quoi ressemble-t-il ? En a-t-elle seulement un ? Tout lui paraît flou à cet instant, hors de portée. Quelques heures de bénévolat, et après ? La question lui donne le vertige. Ses économies lui permettront de tenir un bon moment, c'est au moins ça.

Il est temps d'y aller. Solène dépose des pièces au comptoir, traverse la rue et se retrouve devant un gigantesque bâtiment. Le foyer est beaucoup plus grand qu'elle ne l'imaginait – elle s'attendait à quelque bâtisse en fond de cour, plus ou moins délabrée. Haut de cinq étages, il domine le carrefour. Un large fronton en arc de cercle surmonte l'entrée. Devant la façade, deux plaques en bronze ont été apposées. Solène s'approche, intriguée. L'édifice date du début du XXe siècle. Inscrit au titre des monuments historiques, il porte le nom de « Palais de la Femme ». Étrange appellation. Le mot suggère quelque chose de somptueux, la résidence d'une reine. Pas un établissement pour femmes en difficulté.

Solène gravit les marches qui mènent à l'entrée. Une porte est réservée aux résidentes. Une autre est

dotée d'une sonnette sur laquelle est écrit « invités ».
Solène appuie sur le bouton et pénètre dans le Palais.

À l'accueil, une jeune employée s'affaire derrière
un grand comptoir en Formica. Elle invite Solène à
s'asseoir, pour patienter. Sur les fauteuils disposés là,
une femme entourée de cabas s'est assoupie. Malgré
le bruit ambiant, elle dort profondément. On dirait
qu'elle vient d'achever un voyage qui a duré mille
ans. Solène n'ose approcher, de peur de l'éveiller.
Elle restera debout, elle se sent mieux ainsi.

L'arrivée de la directrice la tire de sa rêverie.
Solène imaginait une femme d'un certain âge – elle a
la quarantaine comme elle, les cheveux courts, la poignée de main franche. Elle l'invite à pénétrer dans un
vaste hall faisant office de foyer. L'endroit est clair,
agrémenté de plantes, de fauteuils en osier et d'un
piano à queue. Une verrière zénithale laisse entrer la
lumière. L'espace est accueillant, chaleureux. C'est le
cœur névralgique du Palais, commente la directrice.
Les résidentes s'y retrouvent souvent pour discuter.
Certaines activités s'y tiennent aussi. Elle conseille à
Solène de s'y installer pour sa permanence, elle sera
plus accessible ici que dans un bureau. Elle propose de lui faire visiter les espaces communs – les
parties privées et les chambres ne sont pas visibles,
précise-t-elle. Tandis qu'elle l'entraîne en direction
du gymnase, elles sont interpellées par une jeune
femme vêtue d'un pull fluo et d'un jean délavé qui

45

aborde la directrice d'un air exaspéré. Ça ne peut plus durer, les Tatas ont encore fait du bruit jusqu'à minuit ! Elle veut changer d'étage, elle ne tient plus ! La jeune résidente a les traits tirés, la mine butée. La directrice répond qu'elle n'est pas disponible pour l'instant, mais promet de parler aux Tatas. En ce qui concerne l'affectation des studios, elles en ont déjà discuté, Cynthia connaît le règlement. Celle-ci grommelle quelques mots énervés, avant de s'éloigner. La directrice s'excuse auprès de Solène pour cet aparté. Certaines résidentes vivent mal leur séjour en foyer, explique-t-elle. Il faut savoir gérer les personnalités, apaiser les conflits. Les différences culturelles et la promiscuité créent des tensions. Les femmes du Palais ont toutes des parcours singuliers. Elles sont souvent en rupture avec leur milieu, leur famille. Il faut les aider à se relever, à renouer avec la société. Vivre ensemble est une belle idée, mais sur le terrain, les choses sont parfois compliquées.

Elles gagnent le gymnase, vide à cette heure de la journée. Il est spacieux, fraîchement repeint, agrémenté de miroirs telle une salle de danse. Des appareils de sport dernier cri sont installés dans un coin. Il y a longtemps que Solène n'a pas fréquenté ce genre d'endroit. Avant, elle s'entretenait, elle avait même pris un abonnement au Club Med Gym de son quartier, qu'elle a vite déserté – le cabinet avait englouti les heures qu'elle lui consacrait. La directrice la conduit ensuite dans la bibliothèque, une vaste pièce où quelques rayonnages de livres se font face. *Nous avons du mal à faire lire nos résidentes*, avoue-t-elle. Une poignée d'entre elles lit un peu, les autres pas du tout. C'est aussi en raison de la barrière de la langue – certaines maîtrisent mal le français. Des cours leur sont proposés deux fois par semaine.

Elles traversent une salle de musique agrémentée de deux pianos, des salles de réunion, un ancien salon de thé, jusqu'à une pièce de réception aux dimensions spectaculaires. Elle a longtemps servi de restaurant populaire, précise la directrice. Tout le quartier venait y manger. Aujourd'hui, on la garde pour les grandes occasions, comme le repas de Noël chaque fin d'année. Le reste du temps, elle est louée pour des manifestations. Certaines marques de vêtements y organisent des braderies. Des défilés de la Fashion Week s'y tiennent aussi. Solène avoue son étonnement. Accueillir de grands couturiers dans un endroit où les femmes ont à peine de quoi s'habiller, n'est-ce pas un peu décalé ? La directrice sourit. *Je comprends votre réaction*, répond-elle, *mais certaines enseignes acceptent de céder leurs invendus à petits prix. Et puis les résidentes sont contentes de pouvoir assister aux défilés. C'est l'occasion d'ouvrir les portes du foyer. La vraie mixité, ce n'est pas de mélanger les cultures et les traditions, elles le sont naturellement ici. C'est de faire entrer la vie du dehors au Palais.*

L'organisation du foyer est complexe, poursuit-elle. Plusieurs entités cohabitent dans le bâtiment. Il y a la Résidence et ses trois cent cinquante studios, comprenant salle de bains et toilettes – certains sont équipés d'une kitchenette, les autres disposent de cuisines en commun. Ils sont occupés par des femmes seules, qui touchent le chômage ou les minima sociaux et paient un loyer modéré. À côté, le Centre d'hébergement et de stabilisation pare aux cas les plus urgents. L'accueil y est inconditionnel, et concerne des personnes en « situation administrative complexe ». Traduire *sans papiers*. On y trouve majoritairement des femmes avec enfants. Une quarantaine de chambres sont réservées au Centre d'hébergement pour migrants. Les arrivées fluctuent en fonction du contexte politique – l'endroit accueille actuellement des personnes venues d'Afrique subsaharienne, d'Érythrée et du Soudan. Enfin, une petite pension d'une vingtaine de logements a été créée récemment, pour les couples et les familles.

En tout, plus de quatre cents personnes résident là. Sans compter les cinquante-sept employés parmi lesquels des travailleurs sociaux, des éducatrices jeunes enfants, des agents d'entretien, des employés administratifs, des experts-comptables et des techniciens. Solène est impressionnée. Cet endroit est la tour de Babel. S'y mêlent toutes les religions, toutes les langues, toutes les traditions. La cohabitation n'est pas toujours facile, reprend la directrice. Quatre cents femmes, ça fait du bruit. Ça parle, ça claque, ça chante, ça crie. Ça se bat aussi, parfois. Ça s'insulte, ça se réconcilie. Il n'est pas rare que des voisins viennent se plaindre. Les propriétaires du bâtiment d'à côté déposent régulièrement des doléances à l'accueil. Elle essaie comme elle peut d'apaiser les tensions. Certains riverains s'y font. D'autres préfèrent déménager.

Ici, ce n'est pas le paradis, conclut-elle en raccompagnant Solène dans le hall, mais les femmes ont un toit. Au Palais, elles sont en sécurité. Si elles restent en moyenne trois ans, certaines vivent là depuis bien plus longtemps – la plus ancienne résidente est arrivée il y a vingt-cinq ans. Elle dit n'être pas prête à partir. Entre ces murs, elle se sent protégée.

Solène quitte le foyer, un peu rassurée. L'endroit est plus agréable qu'elle ne l'imaginait. Il est lumineux, vivant. Ce n'est peut-être pas si terrible, après tout, une heure de bénévolat par semaine. Elle rédigera quelques lettres et le tour sera joué. Elle pourra dire au psychiatre « je l'ai fait ». L'exercice lui coûtera moins qu'elle ne l'avait pensé.

Elle regagne son appartement d'un pas plus léger. Ce soir-là, elle s'endort sans médicament.

Elle n'a, en vérité, aucune idée de ce qui l'attend.

Chapitre 5

C'est aujourd'hui. Le premier jour de Solène en tant qu'écrivain public au Palais. L'horaire de sa permanence a été choisi avec la directrice. Elle a suggéré le jeudi en fin de journée. Dans l'après-midi se tient le cours de zumba. Les autres soirs de la semaine, de nombreuses activités sont proposées, des ateliers de peinture, de gymnastique, de français, de chant, de yoga, d'informatique ou d'anglais. Le jeudi est un bon créneau, a-t-elle affirmé.

Sur le moment – réflexe d'avocate – Solène s'est entendue répondre qu'elle devait consulter son agenda. Puis elle s'est ravisée. Le jeudi, c'est bien. Elle s'est gardée d'avouer qu'elle n'avait rien d'autre à faire de ses journées, que ses semaines s'écoulaient dans le désœuvrement le plus complet. Pour être crédible, il faut avoir l'air occupé, tout le monde le sait.

Elle s'est réveillée tôt ce matin, nerveuse à l'idée d'assumer seule sa première permanence. Léonard ne l'a pas vraiment préparée. Tout ira bien ! a-t-il dit simplement, avec l'enthousiasme qui le caractérise. Elle lui en veut de cet optimisme forcené. Elle n'a pas osé lui confier qu'elle n'était pas sûre d'y arriver. La visite l'a rassurée sur un point : l'endroit n'a rien du foyer miteux auquel elle s'attendait. C'est plutôt le contact avec les résidentes qui l'inquiète. La directrice l'a prévenue, il se peut qu'au début elles se montrent méfiantes. Elle lui a brossé un portrait sans fard de la population du Palais. Non pour l'effrayer, mais pour la préparer. Certaines femmes ont des maladies graves, des problèmes liés à l'alcool ou aux stupéfiants, d'autres sont surendettées. Il y a d'anciennes prostituées, des délinquantes en cours de réinsertion, des travailleuses handicapées, des femmes issues de parcours migratoires complexes. Toutes ont connu une forme de précarité. Toutes savent la violence, l'indifférence. Toutes se tiennent à la lisière de la société.

Comme toujours, Solène est à l'heure. Elle presse la sonnette « invités », et la voilà dans le Palais. Le grand foyer est calme en cette fin de journée. Un petit groupe d'Africaines prend le thé, dans les fauteuils en osier. Non loin, un couple discute dans une langue que Solène ne comprend pas – du wolof ou du swahili. Auprès d'eux, un bébé d'un an court en chaussettes sur le carrelage en céramique, chancelant à chaque pas.

Solène ne sait où se poser. Elle hésite, avise une table flanquée de deux chaises dans un coin. Elle sort de son sac un bloc-notes et son MacBook dernier cri. Elle se sent gênée, soudain, d'exhiber l'appareil ici. Les portables et les ordinateurs sont les nouveaux signes extérieurs de richesse – elle a lu cette étude américaine affirmant qu'on pouvait déduire le revenu d'un individu du seul modèle de son smartphone. Quel manque de tact d'étaler son train de vie. Elle se maudit de ne pas y avoir pensé plus tôt. Un instant, elle est tentée de fuir, se cacher. Trop tard. La permanence va commencer.

Assises non loin, les Africaines la dévisagent d'un air distant. Elles semblent se demander ce qu'elle fait là, avec son ordinateur flambant neuf et son sac griffé. Quelques résidentes traversent le hall et lui jettent un regard indifférent. Solène n'ose pas les aborder pour se présenter. Une femme sort de l'ascenseur, encombrée de cabas. Solène reconnaît celle qui dormait sur les fauteuils de l'accueil, le jour de sa première visite. Elle est aussi chargée que la dernière fois. Elle cherche quelque chose des yeux dans la salle. Une candidate pour moi, songe Solène, dont le pouls s'accélère… Mais non. La femme s'approche d'une banquette, répartit ses sacs autour d'elle et s'allonge. Elle ferme les yeux, s'endort sans tarder.

Solène est déstabilisée. Les minutes passent et personne ne se manifeste. Elle observe l'endroit, détaille les murs décorés de bas-reliefs. Au sol, les carreaux de céramique forment un étrange symbole, un grand S orné d'une croix et de deux épées, surmonté d'une couronne. Le sigle porte la mention *Armée du Salut*. Solène poursuit son exploration de la pièce. Assise derrière une plante, une femme aux cheveux courts est en train de tricoter, si fine et si discrète que Solène ne l'avait pas remarquée. De petites lunettes sur le nez, elle semble totalement absorbée par son ouvrage, un pull en mailles côtelées. Ses aiguilles s'agitent tandis que son visage n'exprime aucune expression – c'est étrange, pense Solène, on dirait du carton. Elle paraît seule au monde au milieu du foyer.

Solène commence à se demander pourquoi elle est là. La directrice devait prévenir les résidentes de son arrivée. Cela n'a pas dû être fait. Ou bien les femmes s'en moquent. Elle s'attendait à être mieux accueillie. Quelle perte de temps ! Personne n'a besoin d'elle ici.

Une femme à la peau noire comme l'ébène arrive dans le hall, chargée de sacs à provisions. Elle s'arrête près des buveuses de thé pour échanger quelques mots, avant de continuer son chemin. Une petite fille de cinq ans marche derrière elle, un paquet de bonbons Haribo à la main. Elle est coiffée de toutes petites tresses, décorées de perles multicolores. Elle a les yeux noir de jais. Elle dévisage Solène, étonnée – on dirait qu'elle est la seule à la voir. Elle s'approche, sans y être invitée, détaille en silence sa tenue, son manteau, le MacBook devant elle. Et finit par lui tendre un bonbon à demi mâchouillé. Solène ne sait comment réagir ; elle est partagée entre stupeur et amusement. Son offrande effectuée, l'enfant rejoint sa mère et disparaît aussitôt vers les ascenseurs. Solène reste ainsi, le bonbon à la main, déconcertée. Elle est tentée d'aller le jeter, mais elle ne bouge pas. C'est un cadeau, se dit-elle. Un cadeau de bienvenue. Elle le place dans un Kleenex, et le range dans la poche de son manteau.

L'horloge murale affiche presque sept heures. La permanence s'est écoulée sans qu'aucune résidente soit venue la solliciter. Solène soupire. Zéro pointé. Déçue, elle referme l'ordinateur et range son bloc-notes. C'est donc cela, le bénévolat censé l'aider à remonter la pente ? Quelle plaisanterie… Elle s'apprête à se lever lorsque apparaît une femme âgée tirant derrière elle un cabas à roulettes. Elle se dirige droit vers Solène. *Pour lire les lettres, c'est vous ?* lance-t-elle sans préambule, comme on jette un os à un chien. Elle a un fort accent étranger – slave, ou bien roumain. Solène est prise de court. *Je suis là pour rédiger des lettres*, répond-elle, *mais lire, c'est possible aussi…* Ouvrant son chariot, la femme commence à sortir un fatras de courriers en tout genre, des enveloppes à en-tête administratif, des cartes postales, des prospectus, des publicités. Son caddie est rempli à ras bord. Elle vide tout sur la table, devant Solène éberluée : *Lis-moi. S'il te plaît.*

Solène marque un temps, se demandant comment se tirer de ce mauvais pas. *Je ne peux pas… pas tout ça... Je peux vous lire les cartes postales si vous voulez...* Au milieu de l'amoncellement, elle attrape quelques cartes et s'arrête, désemparée... Elles sont écrites en alphabet cyrillique. Solène observe le timbre sur le papier corné – il vient de Serbie. C'est la même écriture sur toutes les cartes, sans doute un membre de sa famille ou un ami. *Je suis désolée, je ne parle pas cette langue,* avoue-t-elle. Sans commentaires, la femme attrape les cartes et les remet dans le caddie. Elle lui tend maintenant des courriers administratifs. Solène en décachette un de la CAF. Il s'agit d'une demande d'attestation, nécessaire au versement des droits. Elle tente d'expliquer à la femme de quoi il retourne mais celle-ci l'écoute à peine et finit par replacer la lettre dans le cabas. Même jeu pour l'enveloppe suivante, une relance d'opérateur de téléphonie mobile, stipulant que si les factures ne sont pas payées sous un mois, la ligne sera coupée. Le courrier date de l'année précédente... Solène propose à son interlocutrice de noter les documents à renvoyer, les sommes à payer. Mais elle secoue la tête. *Je me souviens*, lui dit-elle en désignant son front. L'enveloppe disparaît dans son caddie. Solène poursuit, ouvre des dizaines de courriers, il faut aussi lire les publicités, la femme y tient, il y a là des offres promotionnelles pour des lunettes, des volets, des smartphones, des lecteurs DVD, des alarmes, des vêtements, des parfums, des jouets, des promotions dans différents magasins. Des brochures innombrables, interchangeables, sans intérêt.

Lorsque Solène jette un œil à l'horloge du foyer, deux heures ont passé. Elle n'en peut plus. L'endroit s'est vidé, les buveuses de thé ont disparu, tout comme la tricoteuse. Auprès d'elle, la Serbe ne paraît pas s'impatienter. *On finira une autre fois,* finit par annoncer Solène, *je dois y aller*. La résidente acquiesce sans protester. Elle ouvre son caddie, y fourre toutes les publicités et lettres qui n'ont pas encore été ouvertes, au milieu de celles déjà lues, et s'éloigne sans dire merci. Un peu désappointée, Solène enfile son manteau en se dirigeant vers la sortie. Quelle étrange journée. Plutôt déroutant pour un début… Au moins, j'ai pu aider quelqu'un, conclut-elle en tentant de donner un sens à cette séance pour le moins incongrue.

Au moment de partir, elle aperçoit la Serbe dans l'entrée. Penchée sur une poubelle, elle est en train d'y vider tout le contenu de son caddie. Solène reste hébétée.

Il est neuf heures du soir. Sa première permanence au Palais vient de s'achever.

Chapitre 6

À quoi bon ?
Y retourner, pour quoi faire ?

Léonard vient d'appeler Solène pour savoir comment s'est déroulée sa première séance au Palais. Elle lui répond d'un ton excédé. Elle a perdu son temps ! Les résidentes n'ont pas besoin d'un écrivain public. Elles ont d'autres chats à fouetter, d'autres thés à boire, d'autres pulls à tricoter. Elles l'ont parfaitement ignorée. Solène s'est sentie ridicule et pire que cela, inutile. Sans compter cette vieille femme serbe qu'elle a cru aider, avant de réaliser la vacuité de sa demande.

Donner de son temps, la belle idée… Encore faut-il que quelqu'un soit prêt à l'accepter ! C'était un coup d'épée dans l'eau. Solène ne renouvellera pas l'expérience. Elle ne remettra pas les pieds là-bas. Inutile d'insister.

Au bout du fil, Léonard ne se laisse pas démonter. Il comprend sa déception. Il a connu semblable déconvenue à ses débuts, dans la mairie d'arrondissement où on l'avait envoyé. Il ne faut pas que Solène se décourage. Les femmes du Palais sont distantes, méfiantes, le défi n'en est que plus ambitieux à relever ! Elle va devoir gagner leur confiance, les apprivoiser. Cela prendra du temps, mais il est certain qu'elle va y arriver. Il lui demande d'accorder une deuxième chance au Palais.

Loin d'apaiser Solène, sa réaction ne fait que l'énerver davantage. Elle ne va pas se mettre à genoux devant les résidentes. Elle ne sait pas faire ça. Elle est désolée mais elle s'est trompée. Elle n'est pas la bonne personne, la mission s'arrête là.

À ces mots, elle raccroche, mettant un terme à la discussion. Elle n'a pas l'intention de se laisser forcer la main une deuxième fois. L'optimisme de Léonard l'exaspère. Cet enthousiasme à toute épreuve, cette façon de penser que tout ira bien, quelle naïveté. Non, tout ne va pas bien. La Terre ne tourne pas comme elle devrait. Les femmes du foyer manquent de tout, d'argent, d'affection, de liens, d'éducation. Elle-même habite un bel appartement, elle a trois comptes épargne au plafond et elle est malheureuse comme jamais. Sans cachets, elle ne parvient pas même à se lever. Alors non, vraiment, il faut arrêter de dire que tout va bien. Le monde est pourri, voilà la vérité.

Elle n'a pas envie de céder à la pression de Léonard. Toute sa vie, elle a fait ce qu'on attendait d'elle. Elle est devenue avocate pour satisfaire ses parents. Pour Jérémy, elle a tu son désir d'enfant. Il est temps de suivre son propre chemin, de se recentrer sur ses aspirations. D'apprendre à dire non, enfin.

Son chemin, oui, mais lequel ? À quarante ans, Solène n'est pas sûre de savoir qui elle est vraiment. Elle va retourner voir le psychiatre, lui dire qu'elle a essayé le bénévolat, que cette voie ne lui convient pas. Elle va lui demander d'autres conseils – et d'autres comprimés.

Alors qu'elle enfile son manteau pour sortir, elle tombe sur un bout de Kleenex tout au fond de sa poche. Il contient le bonbon Haribo à moitié mâché que la petite fille lui a donné. Ne pouvant se résoudre à le jeter, Solène le place dans un pot à confiture vide. Elle se souvient du regard de l'enfant. Quelque chose en elle l'a bouleversée. Son geste l'a touchée, plus qu'elle ne peut le dire. Elle se demande ce que la fillette fait là, dans ce foyer pour femmes en difficulté. À quoi ressemble sa vie entre ces murs ? D'où vient-elle ? Qu'a-t-elle vécu ? Qu'a-t-elle fui en se réfugiant ici ? Est-elle là depuis longtemps ?

Elle pense aux derniers mots de Léonard, *accorder une deuxième chance au Palais*. Sa colère s'est envolée. Il reste la curiosité, l'envie d'en savoir plus. Un défi à relever, a-t-il dit… Après tout, Solène n'a rien de prévu jeudi prochain. Une deuxième chance contre un Haribo, l'affaire est honnête. Solène saisit son portable et envoie à Léonard un texto, se résumant à deux lettres : *OK*.

La semaine suivante, Solène franchit les portes du Palais. Le petit groupe de femmes africaines est installé au même endroit que la dernière fois. Elles boivent le même thé et dévisagent Solène du même air indifférent. Celle-ci hésite. Elle marque un temps et, prenant sur elle, s'approche pour les saluer. D'une voix qui se veut assurée, elle explique qu'elle est écrivain public et vient ici une fois par semaine. Si certaines d'entre elles ont besoin d'aide pour rédiger des lettres ou des courriers, elle sera ravie de les aider.

Les femmes ne réagissent pas. Solène se demande même si elles ont entendu ce qu'elle a dit. Elles échangent quelques mots dans une langue qu'elle ne comprend pas, avant de faire un signe de la tête. Puis elles reprennent leur conversation, comme si de rien n'était.

Solène reste les bras ballants. C'est fait. Elle s'est présentée. Elle s'éloigne vers les tables disponibles. Elle ne va pas se mettre dans un coin comme la dernière fois mais s'installer au milieu du foyer. Ainsi, tout le monde la verra. Il faut *prendre sa place*, a dit Léonard, *investir l'espace*. *Savoir s'imposer*. Solène a déjà entendu ce genre de baratin au cabinet. Se montrer convaincante lors d'une plaidoirie, tenir son cap face à un client, elle a appris. Mais son expérience ne lui est d'aucune utilité ici. Elle a quitté un palais pour un autre et les règles ont changé. Il va falloir les réinventer.

Tout en s'installant, elle distingue la frêle silhouette de la tricoteuse, à côté de sa plante. Ses doigts s'activent avec agilité. Elle élabore un nouveau pull – on dirait un cardigan pour bébé. Solène hésite à l'aborder. La femme n'a même pas levé les yeux à son entrée. Son visage est si impassible qu'il en est presque inhumain. Pas très engageant, songe-t-elle. Elle vient de faire chou blanc avec les Africaines, il n'est peut-être pas nécessaire de subir une autre humiliation.

Elle s'assoit, renonçant à sa tentative d'approche, tandis qu'à l'autre bout de la salle une buveuse de thé s'est levée. Elle vient se planter devant Solène et sort de sa poche un ticket de caisse froissé. Dans un français parfait, elle explique qu'elle fait ses courses tous les jours au supermarché du quartier. La veille, le caissier s'est trompé de deux euros sur un produit – les yaourts étaient en promotion. Il y avait du monde et il a refusé de la rembourser. Elle voudrait écrire une lettre de réclamation à la direction du magasin.

Solène la dévisage sans un mot, se demandant si c'est une plaisanterie. La buveuse de thé et ses amies sont-elles en train de l'éprouver ? De lui faire passer un test, une sorte de bizutage ? Une lettre pour deux euros… Si l'on déduit le coût du timbre, de l'encre et du papier, il ne reste pas grand-chose à récupérer.

Elle s'apprête à répliquer lorsque la résidente ajoute, comme si elle pouvait lire dans ses pensées : *Je gagne 550 euros par mois. Avec le loyer d'ici à payer, et les factures, il ne reste pas beaucoup pour manger.* Solène se fige. L'affaire n'a rien d'une blague. La situation se résume en trois lettres qui viennent la gifler. *RSA.* Un sigle abstrait qui s'incarne brutalement. Avec son revenu annuel à six chiffres, Solène n'y est pas préparée. Elle se sent honteuse, minable d'avoir pensé que cette femme voulait la tester. Le voilà, le vrai visage de la précarité. Il n'est ni dans le journal, ni sur un écran de télévision mais se tient là, en face d'elle, tout près. Il ressemble à deux euros dans un porte-monnaie.

Muette, Solène saisit le ticket de caisse. Elle va s'en occuper. Elle sort son ordinateur et commence à rédiger le courrier.

Le soir, en regagnant son appartement, elle repense à cet instant, à la bouffée de colère qui l'a envahie tandis qu'elle tapait sur le clavier. Le caissier était pressé, il n'a pas pris le temps de refaire le compte, de rendre la monnaie. À bien y réfléchir, il n'est pas vraiment à blâmer. Il doit gagner à peine le Smic, travailler dans des conditions précaires. Il faut aller vite, pas le temps de s'arrêter. Tant pis pour les deux euros. Tant pis pour la buveuse de thé.

La naissance de l'indignation : ce sentiment surprend Solène. Elle a du mal à le nommer. Elle n'est pas sûre, tout à coup, que cette colère soit uniquement dirigée contre la direction du supermarché. Elle l'est aussi contre elle-même. Enfermée dans sa petite vie et ses problèmes, elle ne voit pas le monde tourner. Certains ont faim et n'ont que deux euros pour manger. Si Solène avait connaissance, intellectuellement, de cette réalité, elle vient de la prendre en pleine face aujourd'hui, au milieu du Palais.

La nuit est tombée. En sortant du métro, Solène passe devant la boulangerie. La SDF est là, à sa place habituelle. Pour la première fois, Solène ralentit. Elle s'arrête devant la jeune sans-abri, attrape son porte-monnaie, et vide l'intégralité de son contenu dans le gobelet.

Chapitre 7

Blanche vient de sortir dans le froid glacial de novembre, malgré les protestations d'Albin. Il soupire, impuissant, tandis que son regard se pose sur la photo en noir et blanc encadrée au-dessus du buffet. Un cliché pris il y a presque quarante ans, par une après-midi de printemps. Blanche et Albin se tiennent l'un près de l'autre, en costume salutiste. Pas de robe blanche ici, pas de dentelle ni de traîne en mousseline. Blanche a tenu à se marier en uniforme. Comme un soldat. Elle fixe l'objectif, droite comme un i, le regard fier. En observant ses traits, Albin songe qu'elle n'a pas changé. Les années et la maladie n'ont guère entamé sa force de caractère. Sa Blanche n'a rien perdu de l'inépuisable énergie qui l'animait lorsqu'il l'a rencontrée.

À peine engagée dans l'Armée, « la petite mondaine » se fait remarquer par sa hiérarchie. On

64

apprécie son zèle, sa détermination, son inventivité. Pour plaider la cause des démunis, Blanche ne recule devant rien. Elle s'improvise journaliste, chanteuse de rue, oratrice. Elle déambule en femme-sandwich pour vendre la revue de l'Armée, dont elle devient rédactrice. Elle joue de la guitare, du tambourin sur les boulevards. Elle multiplie les appels, mendie les dons en nature : linge, vêtements, denrées, chaussures. *On a besoin de tout, et tout de suite !* Elle prend la parole dans les réunions, les assemblées. Elle alpague les passants, arpente les restaurants, les cafés.

La Maréchale, qui l'avait interpellée quelques années plus tôt à Glasgow, allumant le feu de sa foi salutiste, lui propose d'intégrer sa garde rapprochée. Blanche devient son aide de camp et sa secrétaire. Promue capitaine d'état-major le jour de ses vingt et un ans, elle l'accompagne désormais dans ses déplacements. C'est à la faveur d'une tournée en Suisse que son chemin croise celui d'Albin.

Albin Peyron n'est encore qu'un cadet à l'École militaire de Genève. Empreint d'une vocation précoce, il a tôt « pris les S », comme on dit de ceux qui s'enrôlent dans l'Armée, à l'âge de quatorze ans. En ce jour de décembre 1888, il assiste à une conférence de la Maréchale parmi les élèves de sa promotion. Il remarque une jeune officière sur l'estrade. Captivée par le discours de sa supérieure, Blanche ne prête aucune attention à ceux qui l'entourent.

Albin, lui, ne voit qu'elle. Blanche est belle, d'une beauté singulière – une beauté qui s'ignore encore. Il détaille ses cheveux bruns, son teint mat, son regard vif sous le chapeau Alléluia. Dans les rangs des cadets, on raille volontiers ce couvre-chef envahissant, mais Albin le trouve gracieux ce jour-là, autour de ce visage aux traits si harmonieux. *Qui est-ce ?* demande-t-il à son voisin. *Capitaine d'état-major Roussel*, répond l'interrogé.

Blanche. *Sa* Blanche.

Mais celle qui deviendra sa femme ne le remarque pas. Ni ce jour-là, ni les suivants. Albin s'efforce de la recroiser au cours de ses déplacements, sans succès : Blanche ne lui manifeste aucun intérêt. Il est beau garçon, pourtant. Grand, blond, les yeux noirs, Albin a le rire clair et le sang bouillonnant. D'un tempérament fougueux, il chante à tue-tête sur l'impériale des omnibus, dévale des pentes sur son vélocipède à grande roue, un grand-bi que son père lui a offert pour ses dix-huit ans.

Laisse tomber, lui conseille un ami. *Elle n'est pas pour toi. On dit qu'elle a rompu ses fiançailles avec un officier. Elle ne veut ni enfants ni mari. Elle a choisi le célibat.*

Loin de décourager Albin, cette mise en garde décuple sa curiosité, comme on s'approche d'une porte dont l'accès demeure interdit. Blanche est habitée, se dit-il. Tant mieux. Il l'est aussi. Il finit par l'interpeller, un soir, alors qu'elle sort d'une conférence à laquelle il est venu assister dans le seul but de la croiser. *Comment vous revoir ?* lui lance-t-il, le cœur battant. Étonnée, Blanche lui donne une adresse où la retrouver le lendemain, à la nuit tombée. Albin repart, les joues en feu. Il a envie de chanter. Quelle n'est pas sa déception lorsqu'il constate qu'il ne s'agit pas d'un entretien privé, mais d'un meeting auquel elle a convié tous ceux qu'elle a rencontrés.

Il quitte la salle à la fin de la réunion, dépité. Blanche le rattrape dans la rue : elle n'avait pas l'intention de le blesser. Elle n'est pas de ces femmes qui jouent au chat et à la souris. Elle ne peut simplement pas répondre à ses sollicitations. Elle a voué sa vie à la cause de l'Armée. Rien ne doit l'en écarter. Elle ne sera jamais mère de famille, jamais femme au foyer. Jamais mariée.

Albin est déçu, mais il comprend. Il respecte l'absolu de son engagement. À défaut d'autre chose, Blanche lui propose son amitié.

Des amis, il en a déjà, non merci. Il n'est pas intéressé.

Blanche le regarde s'éloigner. Quelque chose en lui la touche, plus qu'elle ne veut l'avouer. Est-ce sa stature, sa prestance, son sourire ? Il y a de la douceur derrière la fougue de son tempérament, elle le sent. Dans une autre vie, peut-être, dans un autre monde, cela aurait été différent.

Dans celui-ci, hélas, elle n'a pas de place pour lui.

Elle va tourner les talons lorsqu'elle aperçoit le grand-bi sur lequel il entreprend de monter. Elle se fige. Elle a entendu parler de ce genre d'engins. Elle rattrape Albin.

Attendez !

Il paraît surpris. Blanche s'approche pour détailler l'appareil, et l'assaille de questions : le bicycle est-il à lui ? Sait-il s'en servir ? Où a-t-il appris à monter ? Elle observe la roue avant, démesurément grande. La selle est perchée à 1,50 mètre de hauteur ; y grimper relève du défi. Il faut pas mal d'entraînement pour parvenir à tenir assis, explique-t-il. L'équilibre est difficile à trouver. Le monstre est instable, la conduite acrobatique. Une étincelle s'est allumée dans les yeux de Blanche. Elle chemine souvent à pied, faute de transports en commun. Un tel engin faciliterait ses trajets. Que de temps ainsi gagné… Un temps précieux pour l'Armée.

C'est décidé : Blanche veut apprendre. Elle tente de convaincre Albin de devenir son professeur. Quelques leçons suffiront, promet-elle. Elle est sportive. Adolescente, elle a fait du cheval, du patinage, de l'aviron.

Quelle étrange fille, se dit Albin. Et quelle détermination. Il objecte qu'il est inconvenant pour une femme d'enfourcher ce genre de machine. Blanche éclate de rire. Les convenances, elle s'en moque. Si elle s'en souciait, elle ne se serait pas enrôlée dans l'Armée. Elle n'est pas une rose de printemps à mettre sous cloche, comme se plaît à le lui répéter la Maréchale. Elle a entendu parler de ces théories selon lesquelles la pratique du vélocipède serait préjudiciable à la santé des femmes. Le docteur Tissié affirme même qu'il serait « une machine à stérilité ». Il vient de publier son *Hygiène du vélocipédiste*, dans laquelle il précise qu'une utilisation régulière entraînerait « ulcérations, hémorragies, maladies et inflammation » chez celle qu'il surnomme « la grande blessée ».

Blessée, Blanche ne l'est pas. Elle ne se reconnaît pas dans ce portrait du sexe que l'on prétend *faible*. Elle n'a que faire de ce discours dont le seul but, dit-elle, est de maintenir les femmes dans l'assujettissement et l'infériorité. Elle est tout aussi capable qu'un homme de conduire cet engin, et elle va le prouver. Albin est déconcerté. Il évoque la dangerosité du grand-bi, largement évoquée dans la presse : en raison de la taille de la roue avant, la vitesse est élevée et provoque de nombreux accidents. Il ne sait pas encore que Blanche est plus têtue que lui – cela se vérifiera tout au long de leur vie. À court d'arguments, il finit par céder.

Un problème subsiste, cependant : en jupe, Blanche aura du mal à pédaler. Le port du pantalon serait plus adapté, mais ce vêtement est interdit aux femmes. La loi prohibe ce que la société considère comme un travestissement. Toute demande doit faire l'objet d'une dérogation auprès de la préfecture de police. En cette fin d'année 1888, Albin ignore qu'une circulaire est sur le point d'être votée pour lever *partiellement* cette interdiction – à la condition que la femme tienne par la main *un guidon de bicyclette ou les rênes d'un cheval*. Une mini-révolution est en marche, une émancipation en forme de vélo et de pantalon.

Qu'à cela ne tienne, Blanche trouvera un habit ! Au diable la loi et les entraves ! Le rendez-vous est pris.

Elle rejoint Albin le lendemain sur un chemin isolé à l'orée de la ville. Située sur un replat, la route constitue un terrain d'entraînement idéal. Blanche a revêtu une tunique dont elle se sert pour monter à cheval. Albin la regarde arriver, mi-incrédule mi-amusé. Elle le salue, retire son chapeau Alléluia qu'elle dépose sous un arbre – elle ne veut pas risquer de l'abîmer. Elle s'avance et observe le grand-bi d'un air de défi.

Albin lui tend la main pour l'aider à monter. Blanche s'en saisit, ignorant que cette main, elle la tient pour la vie. À cet instant se joue entre eux bien plus qu'une leçon de vélo : le début d'une association, la naissance d'un duo.

Les roues commencent à tourner. Blanche est déstabilisée, elle peine à garder l'équilibre. Elle fait un ou deux mètres sur le bicycle et s'effondre. Albin se précipite. Affolement inutile, elle s'est déjà relevée. Sa veste est déchirée, ses bras égratignés mais qu'importe, elle veut remonter. Une fois, deux fois, trois fois. Blanche tombe, et se redresse sans se décourager. Elle veut y arriver.

Elle *va* y arriver.

Son entêtement surprend Albin. Au bout d'une heure d'essais infructueux, Blanche parvient enfin à pédaler. Elle accélère, pousse un cri de victoire.

Sur le bicycle, elle est saisie d'une sensation nouvelle, celle d'une infinie liberté. Elle est seule responsable de son mouvement, de sa vitesse, de sa direction. C'est ainsi qu'elle entend diriger sa vie – sans entrave, du vent dans les cheveux. De là-haut, elle voit le monde autrement. Et il lui paraît plus beau, ce jour-là, sur cette route isolée, aux côtés de cet homme qu'elle vient de rencontrer. À la voir pédaler ainsi, Albin est pris d'une certitude : il veut passer sa vie auprès de cette femme singulière. Tout en elle lui plaît. Sa volonté, cet affranchissement des convenances, du regard de la société, cette force, cette étrange gaieté. D'elle, il veut tout connaître, tout partager.

Le vélocipède vacille. Blanche s'est engagée dans une pente et prend de la vitesse. Albin pâlit : il ne lui a pas expliqué comment freiner. Il se met à courir pour la rattraper. L'engin s'emballe. Blanche finit par trouver le frein, qu'elle empoigne brutalement. En un éclair, la roue se bloque, projetant la jeune officière en avant. Elle fait un demi-tour en l'air avant de retomber sur le dos.

Soleil.

Telle est l'entrée de Blanche dans la vie d'Albin.

Il se précipite, accablé. Il s'en veut, il n'aurait pas dû la laisser monter, l'appareil est trop dangereux... Blanche est couverte d'ecchymoses, sa tunique est déchirée mais elle n'a rien de cassé. Elle lui tend la main et le remercie – elle ne s'est jamais sentie aussi libre qu'aujourd'hui.

Albin reste sans voix. Dans un instant, Blanche va s'en aller. Elle va remettre son chapeau Alléluia et disparaître. Sa mission à Genève s'achève, demain elle reprendra le train pour Paris. Leur histoire va s'arrêter là, sur ce chemin de terre, avant même d'avoir commencé. Albin ignore comment la retenir. Il y a tant de choses qu'il aimerait lui dire, mais il n'y arrive pas. Il voudrait lui avouer qu'il se voit auprès d'elle, dans un an, dix ans, vingt ans. Qu'il veut être l'homme qui l'accompagnera. Qu'il ne cherchera pas à l'enfermer, qu'il respectera sa liberté, son combat. Mieux, qu'il les partagera. Qu'ensemble ils feront de grandes choses, accompliront de grands projets. Il n'a que dix-neuf ans, il ne sait rien de la vie mais cela, il le sait : il veut être avec elle, maintenant, et pour le temps qu'il lui reste ici-bas.

Les mots se bousculent dans sa tête, ils tourbillonnent mais ne sortent pas. Blanche s'éloigne déjà.

Alors il s'élance après elle et se met à crier deux mots, qu'il n'a pas prémédités :

Épousez-moi !

La jeune femme se retourne, étonnée. Elle n'est pas sûre d'avoir bien entendu. Albin reprend, lui-même surpris de son audace :

Épousez-moi.

Blanche le dévisage, incrédule. Il n'a pas l'air de plaisanter. À dire vrai, Albin n'a jamais été aussi sérieux de sa vie. Il s'avance et se met à parler : tout lui va. Ce qu'elle pense, ce qu'elle dit, la cause en premier, avant elle, avant lui, il est d'accord pour ça. Leur mariage ne sera pas une prison, un asservissement, mais une association. Blanche ne sera jamais une femme soumise, jamais une mère au foyer, mais une guerrière qui se battra à ses côtés. Ils ne seront pas seulement des époux mais des compagnons d'armes, des soldats, des alliés.

Il n'a pas de bague, pas de gants blancs aujourd'hui, rien d'autre à offrir que cela, la promesse d'une union qui sera plus qu'un hymen : un projet de vie. Un chemin à gravir ensemble, main dans la main, au nom de la cause qu'ils ont choisie. Il y aura des obstacles, bien sûr, des déceptions et des désenchantements, il y aura des disputes et des contradictions, mais il y aura des victoires aussi. Il en est certain. Blanche a un fort tempérament, comme lui. Elle brûle d'un feu ardent. À deux, ils seront plus puissants. Seul, on ne va jamais si loin.

Les mots d'Albin sont sortis d'une traite. Blanche est saisie par sa déclaration. À cet instant, il lui semble qu'elle voit en lui plus clairement qu'elle n'a jamais vu en personne. Cet homme est comme moi, se dit-elle, il est fait du même bois. C'est un alter ego qu'elle vient de rencontrer, une âme sœur qu'elle reconnaît là, dans l'air du soir, sur cette route isolée.

Il ne lui faut pas longtemps, alors, pour décider. Elle ne réfléchit pas. Oubliant ses vœux de célibat et le serment qui la lie à Evangeline, Blanche laisse échapper un mot, un petit mot qui va tout changer : oui.

Oui pour le chemin à deux.

Oui pour le combat partagé.

Oui pour être ton amie, ta partenaire, ton associée.

Oui pour me battre avec toi, ma vie durant.

Oui, je le veux.

En avant !

Blanche épouse Albin le 30 avril 1891, lors d'une cérémonie qu'ils ont eux-mêmes orchestrée. Ils font leur entrée au son des tambourins, parmi leurs amis salutistes. *La Marseillaise* retentit. Ils échangent leur consentement sous le drapeau Sang et Feu de l'Armée qu'on a déployé pour eux.

Leur union durera quarante-deux ans. Ce qu'Albin a promis à Blanche ce jour-là, sur le chemin de terre, ne se démentira pas. Leur mariage sera une association de chaque instant.

En ce soir de novembre 1925, Blanche a cinquante-huit ans. Tandis qu'il la regarde s'éloigner sous la neige dans les rues de Paris, Albin songe qu'elle est toujours cette femme libre et volontaire, cette jeune officière obstinée juchée sur le grand-bi. Son entêtement est un don, un moteur qui la fait avancer.

Blanche est malade mais elle est en vie.
Et elle a encore de grands projets à mener.

Chapitre 8

Paris, aujourd'hui

Penchée sur son smartphone, Solène ne voit pas défiler les stations de métro. Elle vient de lire un article intitulé « Les femmes et la précarité ». Depuis quelque temps, elle s'intéresse de plus près au sujet. Le constat de l'enquête est alarmant : les femmes sont les premières victimes de la pauvreté, les premières bénéficiaires du RSA. Elles représentent 70 % des travailleurs pauvres. Plus de la moitié des personnes faisant appel aux banques alimentaires sont des mères célibataires. Le chiffre est en constante augmentation, il a doublé en quatre ans. Les demandes d'accueil de femmes avec enfants en foyer sont exponentielles.

Solène relève la tête, accablée. Elle s'aperçoit que le métro s'est arrêté à la station Charonne. C'est ici qu'elle descend. Elle se précipite sur le quai, remonte à la surface. En longeant le supermarché, elle pense à la lettre qu'elle a rédigée pour la buveuse de thé. Lorsqu'elle est retournée au Palais le jeudi suivant, la femme était là, entourée de ses compagnes, au même endroit. À l'entrée de Solène, elle s'est levée, s'est dirigée vers elle et a simplement dit : *ils m'ont remboursée.*

Et Solène a souri de cette victoire, immense et dérisoire. Une victoire à deux euros, qui lui a tenu chaud. En elle, une petite flamme s'est allumée. Elle a songé à tous les procès qu'elle avait remportés, aux millions qui s'étaient disputés entre les parties, comme un ballon qu'on s'arrache sur un terrain de rugby. Aux fortunes que ses clients avaient amassées, aux honoraires faramineux facturés par le cabinet, aux soirées arrosées de champagne auxquelles elle était conviée, dans des lieux d'exception. Des victoires, elle en avait fêté, mais aucune ne l'avait vraiment réjouie. Elle était restée en retrait, à la périphérie de ses émotions, anesthésiée. Cette victoire-là lui procurait un sentiment différent. Celui d'être à sa place. Au bon endroit, au bon moment.

La femme n'a pas dit merci. Elle a juste rempli une tasse de thé et l'a posée sur la table où Solène venait de s'installer.

Assise au milieu du foyer, Solène a bu le liquide brûlant et sucré, en célébrant intérieurement les deux euros remboursés. Un thé délicieux, meilleur que toutes les coupes de champagne réunies, dont elle a savouré chaque gorgée.

Voilà un mois qu'elle a franchi les portes du Palais pour la première fois. Elle est en train de trouver ses marques. Léonard avait raison : les résidentes sont méfiantes, il faut les apprivoiser, s'affirmer. Solène a pris l'initiative d'imprimer de petites affiches pour annoncer sa permanence, et les a punaisées dans le hall d'entrée.

Aujourd'hui, les buveuses de thé l'ont saluée. La tricoteuse n'a pas levé les yeux – le contraire l'aurait étonnée. La dame aux cabas dort dans un coin, ramassée sur elle-même. De la table qui lui est désormais réservée, Solène voit arriver la Serbe, flanquée de son inénarrable caddie. Elle pâlit. Elle n'est pas prête à se livrer à une nouvelle séance de torture. D'autres tâches plus importantes l'attendent, du moins elle l'espère. Elle tente de se cacher derrière l'écran de son ordinateur, comme la tricoteuse derrière son pot de fleurs. Trop tard, la Serbe l'a repérée. Elle se dirige droit vers elle, s'assoit sans y être invitée. Solène tente de faire bonne figure. Elle explique diplomatiquement qu'elle n'a pas le temps de lire aujourd'hui. En fait, elle est là pour écrire. Oui, elle est écrivain public – ces mots sonnent encore étrangement dans sa bouche, elle a du mal à les prononcer, comme si elle ne se sentait pas tout à fait légitime. La Serbe hoche la tête, écrire, c'est bien aussi. Elle a justement besoin d'une lettre. Une lettre pour Elizabeth, précise-t-elle. Mais elle n'a pas l'adresse.

Voilà qui commence bien, songe Solène. Une nouvelle galère… La Serbe la monopolise pour rien. Solène aimerait consacrer son temps à des tâches plus utiles. Pourtant, impossible d'y couper…

Est-ce une de vos proches, de vos amies ? interroge-t-elle. La Serbe secoue la tête. Non, c'est *Elizabeth. Elizabeth II. D'Angleterre. Je veux un autographe*, dit-elle. *J'en ai déjà plusieurs, mais pas celui-là.*

Solène marque un temps, atterrée. Cette femme qui manque de tout, qui habite en foyer, cette femme dont la directrice lui a raconté la vie âpre, abîmée, maltraitée, marquée par la guerre, les abus et la prostitution, cette femme-là n'a qu'une chose à demander : une signature sur un bout de papier.

Solène ne sait que répondre à cela. Cette requête la déroute, autant qu'elle la bouleverse. La Serbe n'a pas l'air folle. Elle semble juste enfermée dans un monde qui lui appartient, qu'elle a peut-être construit pour se protéger des épreuves subies.

Solène voudrait lui dire que sa démarche est vaine, que la reine d'Angleterre ne lui répondra pas. Qu'elle dort dans un palais, un vrai, bien loin de celui-ci. Qu'elle est née dans un monde où les enfants ne sont pas déchiquetés par des bombes sous les yeux de leur mère, où les femmes ne sont pas violées en réunion par dix soldats avant d'être livrées à un réseau de prostitution. Elle voudrait lui dire

79

qu'Elizabeth s'en fout, de son malheur, de sa vie, de ce corps supplicié qu'elle traîne partout comme elle traîne son caddie. Elle voudrait lui dire tout ça, mais elle ne le fait pas.

Après tout, pourquoi pas ? Une lettre à la reine d'Angleterre, c'est mieux que deux heures à lire des prospectus et des publicités. Solène allume son MacBook et commence à taper.

Pour Cvetana, précise la Serbe, *avec un C.*

Solène ne sait par où commencer. *Chère Reine Elizabeth…* N'est-ce pas trop familier ? Elle efface, reprend. *Votre Altesse Sérénissime ?* Elle ignore la formule consacrée. En quinze ans d'avocature, elle a eu le temps de maîtriser les tournures de politesse, mais elle ne connaît pas celle-ci. Niveau protocole, elle n'est pas très calée. *Je devrais regarder plus souvent les émissions sur les têtes couronnées*, songe-t-elle ironiquement. Après une brève recherche sur Internet, elle opte pour la sobriété ; mieux vaut laisser de côté les formules ampoulées, les *Daigne Votre Majesté accepter l'expression de mon profond respect* et autres *J'ai l'honneur d'être avec la plus grande déférence votre très humble serviteur.* L'esprit est peut-être *Buckingham*, mais pas très *Palais de la Femme.*

Solène achève de rédiger le courrier et le lit à haute voix. Cvetana secoue la tête. *Ça ne va pas. Il faut écrire en anglais.*

80

Solène s'arrête, penaude. La remarque est frappée au coin du bon sens. En anglais pour la reine d'Angleterre, l'évidence se passe de commentaires.

Une femme d'une trentaine d'années déboule à cet instant dans le foyer. Solène reconnaît la résidente qui avait abordé la directrice le jour de sa visite du Palais. Elle paraît furieuse et se précipite vers les buveuses de thé. Elle se met à hurler qu'*elles font chier, les Tatas, la plaque de la cuisine du deuxième est encore niquée, elles se croient chez elles ou quoi ?! Elle en a ras le bol de les entendre jusqu'à minuit, il y en a qui dorment, en tout cas qui essaient, et puis il faut arrêter de foutre les poussettes dans le couloir, la prochaine fois qu'elle en chope une, elle la vole et la vend sur eBay, au moins ça lui fera de la thune !* La tricoteuse lève les yeux de ses aiguilles d'un air indifférent, tandis que la dame aux cabas s'éveille en sursaut. *Tu pourrais faire moins de bruit,* proteste-t-elle. La jeune femme réagit instantanément. *Qu'est-ce que tu fous encore là, à pioncer ? C'est les parties communes ici, t'as une chambre et un lit, si tu veux dormir sur un banc, t'as qu'à retourner dans la rue, ça libérera une place pour quelqu'un qu'en a vraiment besoin !* La dame aux cabas s'énerve, *Qu'est-ce que tu sais de la rue, tu n'y as jamais promené ton cul ! Mon cul il en a vu,* lui répond l'autre en hurlant plus fort, *et des plus belles que le tien ! Ça m'étonnerait, tu veux comparer ?! Combien de fois t'as été violée ?* réplique la dame aux cabas. Les buveuses de thé s'en

81

mêlent. Le ton monte, il en faudrait peu pour qu'elles en viennent aux mains.

Solène s'est arrêtée d'écrire, sidérée. En face d'elle, Cvetana hausse les épaules, visiblement habituée. *C'est Cynthia. Elle est en colère. Toujours en colère, Cynthia.* L'employée de l'accueil vient s'interposer. Elle demande à Cynthia de se calmer. Ses visites ont déjà été suspendues pour un mois, elle risque une nouvelle sanction si elle continue comme ça. Après une dernière insulte aux Tatas et à la dame aux cabas, Cynthia finit par s'en aller.

Le silence revient dans le grand foyer. Solène s'aperçoit que Cvetana n'est plus là. Elle s'est envolée avec son caddie, sans attendre sa lettre. Solène observe le courrier en anglais qu'elle vient de rédiger. Que doit-elle en faire ? Le jeter ? Le poster ? Le conserver pour une prochaine fois ?

L'incursion de Cynthia a jeté un froid, la tricoteuse a plié bagage, comme la dame aux cabas. Les buveuses de thé s'en vont. Il est l'heure de rentrer. Solène place la lettre dans son sac et remet son manteau, quand elle aperçoit la petite fille aux bonbons qui vient d'arriver. Elle suit sa mère en mangeant des oursons en guimauve nappés de chocolat. Comme la première fois, elle passe devant Solène, s'approche et lui tend un ours de son paquet. Solène prend la friandise et tente d'engager la conversation : *Comment t'appelles-tu ?* demande-t-elle. La fillette ne répond pas. Elle s'éloigne en direction de l'escalier et disparaît.

Quel est le sens de tout cela ? Solène l'ignore. Quelque chose lui échappe de cet endroit, de ces femmes qu'elle côtoie sans vraiment les rencontrer. Elle n'a pas le code pour déchiffrer les âmes et les comportements, pas le mode d'emploi, pourtant elle le sent, elle est en train de gagner sa place ici, lentement.

Léonard avait raison, songe-t-elle en quittant le Palais. Il faut du temps.

Chapitre 9

C'est arrivé ce matin. Ce qu'elle redoutait depuis des années. Elle savait que cela se produirait un jour, qu'elle finirait par le croiser. Elle avait appris par des amis communs qu'il avait emménagé dans le quartier.

Jérémy, son grand amour, celui qu'elle n'a jamais oublié.

Elle est sortie dans la matinée pour affranchir la lettre à Elizabeth. Elle s'est dit après réflexion qu'elle méritait d'être postée. Après tout, elle l'avait rédigée, traduite. Et puis la Serbe avait le droit de rêver. La vie lui avait tout pris, mais il lui restait ça, le droit d'espérer, de s'évader en collectionnant quelques signatures de têtes couronnées. Qui était Solène pour juger de la vacuité de cette tentative ? Un peu de poudre aux yeux, un peu de Buckingham dans une vie abîmée, comme on verse du sucre dans un mauvais café. Cela n'en change pas le goût, mais le rend plus facile à supporter.

Solène a souri en notant l'adresse sur l'enveloppe : *Elizabeth II, Buckingham Palace, London, England.* De l'autre côté, elle a inscrit celle du Palais de la Femme. Elle a réalisé alors qu'elle ne connaissait pas le nom de famille de Cvetana. Elle a mis le sien. Si par miracle réponse il y a, l'employée de l'accueil lui transmettra.

En glissant le pli dans la boîte notée « Province et Étranger », Solène est prise d'un rire nerveux. Tout ça pour ça, songe-t-elle. De longues études à la fac de droit, un concours d'avocat, des années en cabinet, un burn-out et une thérapie pour en arriver là. La vie ne manque pas d'ironie.

Elle s'apprête à faire demi-tour lorsqu'elle l'aperçoit de l'autre côté de la rue. Jérémy. Accompagné d'une jeune femme et d'un enfant de deux ans. Solène se fige. Son cœur s'emballe, ses mains se mettent à trembler. Elle reste immobile, pétrifiée, comme une biche prise dans un faisceau de phares, la nuit, sur une route isolée.

Jérémy ne l'a pas remarquée, occupé à ramasser la tétine de son fils qui vient de tomber. Solène observe le petit garçon : une copie de son père, trait pour trait. Une autre version de lui-même, fraîche, rayonnante, insultante de vie et de bonne santé. Une version qu'on a envie d'étreindre et d'embrasser.

Il ne voulait pas d'enfant, pas d'engagement, il le lui avait dit. Ce choix, Solène l'avait accepté. Ils vivaient séparément, se retrouvaient pour partager les bons moments. Ensemble, ils voyageaient à Londres, New York, Berlin, sillonnaient les expositions d'art contemporain, dînaient dans les meilleurs restaurants. Cette vie lui convenait – du moins était-elle parvenue à s'en persuader.

Le bonheur des autres est cruel. Il vous tend un miroir sans pitié. La solitude de Solène lui revient de plein fouet. Cet enfant dont il ne voulait pas, il l'a fait à une autre. Voilà la vérité. Ce petit garçon de deux ans est plus qu'un désaveu, il est une trahison. À cet instant, Solène se sent flouée, vide de ce bébé qu'elle n'a jamais porté, de toutes ces choses dont elle n'a pas voulu avouer qu'elles lui faisaient envie. Pour être aimée, elle est devenue ce que l'on attendait qu'elle fût. Elle s'est conformée aux désirs des autres en reniant les siens. En chemin, elle s'est perdue. Dans la rue, face à Jérémy, elle a l'impression que sa vie entière défile sous ses yeux, en accéléré, comme un film qui se joue sans elle. Ce devrait être moi, se dit-elle, qui marche à ses côtés, qui ramasse la tétine tombée. Moi qui dis non, plus de bonbons. Moi qui passe la main dans les cheveux ébouriffés.

La blessure est là, béante. Solène croyait l'avoir colmatée à grands coups d'avancement de carrière, de promotion au cabinet. Elle s'est trompée. Malgré les baumes et les onguents, elle n'a jamais cicatrisé.

Avec le temps va, tout s'en va, dit la chanson.

Tout s'en va, sauf ça. Il est des deuils qu'on ne fait pas. Jérémy est de ceux-là.

Solène rentre chez elle, glacée. Elle imagine l'appartement de Jérémy, joyeusement désordonné, empli de jouets, de pleurs d'enfant, de biberons, de biscuits écrasés. Elle a envie de hurler. Elle pourrait s'effondrer, passer la journée à pleurer dans son lit.

Par miracle, on est jeudi. Elle doit se rendre au Palais aujourd'hui. Sa permanence va la sauver. Il n'est pas encore l'heure mais qu'importe, elle ira en avance. Tout plutôt que de rester là à contempler sa vie gâchée.

Elle quitte l'appartement à la hâte, elle s'enfuit. Elle passe devant la boulangerie, laisse une pièce à la sans-abri, s'engouffre dans le métro. Ne plus penser, se noyer dans la vie des autres comme elle se noyait, jadis, dans les dossiers. C'est un pis-aller, elle le sait, mais elle n'a rien d'autre à quoi se raccrocher.

Alors qu'elle remonte la rue qui mène au Palais, Solène ralentit. Elle aperçoit un peu plus loin la tricoteuse assise sur le bitume. Sur un morceau d'étoffe devant elle sont exposés ses travaux, des pulls pour adultes, pour enfants, des chaussons pour bébés, des cardigans, des gants, des écharpes, des bonnets. Solène hésite. Elle s'approche, intriguée. Un couple observe les tricots. À côté de chacun, un prix est affiché. Un prix dérisoire, symbolique, les chaussons à dix euros, les gilets à vingt. Autant d'ouvrages magnifiques, élaborés, soignés. Solène ne peut s'empêcher d'imaginer ce qu'ils coûteraient dans un grand magasin – cinq à dix fois plus, c'est certain. Ces pulls sont des œuvres d'art, se dit-elle. Cette femme a de l'or dans les mains. Quel talent bradé, quel gâchis.

Elle n'ose avancer davantage. Le couple se lance dans une discussion au sujet d'une petite paire de chaussons. Ils proposent la moitié du prix demandé. La tricoteuse est sur le point d'accepter. Cinq euros. Cinq euros pour deux chaussons faits main. À peine le prix de la laine. Cinq euros pour des heures de travail effectué avec patience, minutie. Solène s'empourpre. La colère ressurgit, celle-là même qu'elle avait ressentie en rédigeant le courrier pour la buveuse de thé. Une bouffée de rage l'envahit. Elle n'avait pas l'intention d'intervenir mais ne peut se retenir. Elle interpelle le couple. N'ont-ils pas honte de négocier ? Ils paieraient dix fois ce prix dans n'importe quelle boutique des beaux quartiers. Les chaussons sont magnifiques, la laine est douce, soyeuse, de qualité. C'est dix euros et c'est à prendre ou à laisser ! Le couple dévisage Solène, sidéré, tout comme la tricoteuse, qui semble se demander de quoi elle se mêle. Les clients reposent les chaussons et s'éloignent, agacés, sans rien acheter.

Solène reste debout sur le trottoir, accablée. La tricoteuse la foudroie du regard. Elle ne dit rien – ses yeux parlent à sa place. Solène bredouille quelques mots d'excuses. Elle ne sait pas ce qui lui a pris. À cause d'elle, la femme a perdu cinq euros, et elle sait à présent ce que cinq euros signifient. Elle s'apprête à s'en aller, confuse, lorsqu'elle se ravise. Elle sort son porte-monnaie et annonce qu'elle prend les chaussons. La tricoteuse la dévisage, étonnée. Solène saisit les créations de laine et lui tend un billet.

En s'éloignant vers le Palais, elle pense à Jérémy, à cet enfant qu'elle n'a jamais porté. À ces chaussons qu'elle vient d'acheter. Un bel acte manqué.

C'est du 17, a dit la tricoteuse. Taille nouveau-né.

Chapitre 10

L'employée de l'accueil paraît étonnée de la voir arriver en avance. *Je suis venue plus tôt aujourd'hui*, annonce simplement Solène. Bien sûr, elle ne dit pas Jérémy, elle ne dit pas l'enfant, elle ne dit pas le chagrin qu'elle a ressenti en les voyant. Elle ne dit pas l'effondrement, le gouffre qui s'est ouvert sous ses pieds. Elle ne dit pas les chaussons pour bébé qu'elle vient d'acheter.

Ça tombe bien, répond l'employée, *une résidente vous cherche.* Solène marque un temps de surprise. C'est la première fois qu'on la demande ici, qu'on manifeste l'envie de lui parler. Tant mieux. Aujourd'hui, elle a vraiment besoin d'être utile à quelqu'un.

L'employée désigne une femme assise dans le foyer. Solène reconnaît la mère de la petite fille aux bonbons. L'enfant n'est pas là, la résidente est seule. L'endroit est calme à cette heure de la journée. Les buveuses de thé ne sont pas encore arrivées. Pas de trace de la dame aux cabas, ni de Cynthia l'énervée. Solène s'avance. *On m'a dit que vous me cherchiez*, hasarde-t-elle. La femme sort de ses pensées. *Il paraît que vous écrivez des lettres. Je voudrais en envoyer une à mon fils, au pays.* Solène acquiesce en s'asseyant à ses côtés. Elle prend le temps de détailler ses traits : la mère ressemble à la fille. Elle a les cheveux tressés comme elle, la même intensité dans le regard. La même tristesse aussi, cette façon détachée de traverser la vie.

Dans un geste qui lui est devenu familier, Solène pose son ordinateur et la minuscule imprimante qu'elle a pris l'habitude d'apporter – un matériel léger, facile à transporter. Elle met en route son MacBook. Fin prête, elle attend le signal de la résidente pour commencer à taper.

Mais celle-ci ne dit rien. Elle n'a pas l'air de savoir par où commencer. Elle semble émue, désarmée. Solène ignore comment l'aider. Elle manque encore d'expérience – sa lettre à Elizabeth et le courrier au supermarché sont ses seuls galops d'essai. Il est sûrement plus complexe d'écrire à un fils qu'à la reine d'Angleterre, se dit-elle. Elle finit par demander, en guise d'introduction, le prénom du garçon.

Khalidou, répond la femme.

À ce nom prononcé, son regard s'allume et se voile en même temps de chagrin. Dans ses yeux, il y a l'amour, il y a le manque. Il y a l'exil. Il y a l'interminable voyage entrepris jusqu'ici. Il y a ceux qu'elle a laissés derrière elle, au pays. Il y a Khalidou surtout, son enfant, son fils chéri. Celui qu'elle n'a pas pu emmener avec elle. Celui qu'elle serre dans ses bras toutes les nuits, en pensée. Celui dont elle se demande s'il parviendra un jour à lui pardonner. Elle voudrait lui expliquer pourquoi elle est partie. Pourquoi elle a pris Sumeya, sa petite sœur, et pas lui. Elle voudrait lui raconter ce que l'on fait aux filles dans leur pays, la Guinée. Elle se souvient du jour de ses quatre ans, lorsqu'on l'a emmenée et qu'on lui a tenu les jambes. Elle se souvient de la douleur fulgurante qui l'a coupée en deux et l'a fait s'évanouir, cette douleur ravivée le soir de ses noces, comme à chacun de ses accouchements, telle une punition sans cesse renouvelée. Cette abomination qui se perpétue de génération en génération. Ce crime contre la féminité.

Elle ne voulait pas ça pour Sumeya.
Non, pitié. Pas ça pour Sumeya.

Elle savait pourtant la chose inévitable. En Guinée, la quasi-totalité des femmes sont mutilées. Elle a entendu ce chiffre une fois, à la radio : 96 % de la population féminine. Elle n'est pas allée à l'école mais elle sait ce qu'il signifie. Il veut dire sa mère, ses sœurs, ses voisines, ses cousines, ses amies. Il veut dire toutes les femmes de son quartier, toutes celles qu'elle connaît.

Il veut dire Sumeya, aussi.

Elle a supplié en vain son mari. Elle sait que ce n'est pas lui qui décide, mais sa famille. Hélas il est trop tard, a-t-il annoncé, la cérémonie est programmée. La grand-mère paternelle s'acquittera de cette mission, selon la tradition.

La femme a décidé de fuir, pour sauver Sumeya. Une amie l'a renseignée sur la route à suivre. *Tu peux emmener un enfant*, a-t-elle dit. *Avec deux, tu ne passeras pas.* Alors elle a choisi.

Elle a fait le choix le plus terrible, le plus déchirant de sa vie. Ce choix nécessaire, indispensable et insensé. Ce choix qui la hante pour l'éternité.

Elle est arrivée au Palais il y a un an, après des mois de voyage éreintants. Sumeya est sauvée.

Pour elle, en revanche, la vie s'est arrêtée. De ce qu'elle a vécu, on ne se remet pas. Elle est amputée d'une partie d'elle-même, au sens propre comme au figuré. Son cœur est coupé en deux, écartelé entre l'Afrique et les murs du Palais.

Solène l'a écoutée sans un mot, bouleversée. Que dire après cela ? Elle comprend maintenant le chagrin dans ses yeux, cette tristesse millénaire qu'elle porte en elle, comme on porte une croix le long d'un calvaire. Celle de ces millions de femmes mutilées, abîmées dans leur chair au cours des siècles et des siècles, au nom de traditions ancestrales inhumaines qui continuent à se perpétuer.

Elles sont nombreuses au Palais à avoir fui le sort qu'on réservait à leurs filles. Elles viennent d'Égypte, du Soudan, du Nigéria, du Mali, d'Éthiopie, de Somalie, où la pratique est encore courante. Solène songe à la petite fille, à ces bonbons qu'elle mange en traversant le foyer, sans savoir que sa mère l'a sauvée. Elle a rompu le cercle infernal, brisé un maillon de la chaîne. Elle a libéré Sumeya, et toutes les femmes de leur lignée. Plus jamais ça, pour les générations qui leur succéderont. Elle s'appelle Binta mais toutes ici l'appellent Tata. *Tata*, c'est le nom qu'on donne aux Africaines comme elle. Un nom protecteur, rassurant, maternel.

Tata a les yeux levés vers Solène. Elle attend. Il y a quelques instants encore, elles ne se connaissaient pas. Maintenant, Solène est dépositaire du passé de Binta. Et elle ne sait qu'en faire. Quels mots pour Khalidou ? Quels mots pour dire cela ? Ils sont si impuissants, les mots, les pauvres mots, devant tant de souffrance. Cette femme vient de livrer sa vie comme on livre un secret, un fardeau, un cauchemar. Et elle attend, les yeux pleins d'espoir, les mots que Solène va poser sur son histoire.

Écrivez, s'il vous plaît. Dites à mon fils que je suis désolée.

À cet instant, à cet instant précis, Solène le sent : la digue cède brutalement. Une incontrôlable émotion s'empare d'elle. Face à Binta, elle éclate en sanglots, ou plutôt elle s'effondre. Ce ne sont pas des pleurs, c'est beaucoup plus que cela. Dans ses larmes il y a Jérémy, il y a ce bébé qu'ils n'auront jamais, ces chaussons qu'elle a achetés sans savoir pourquoi. Il y a la souffrance de Tata, ses quatre ans profanés, il y a la petite fille aux bonbons, Khalidou resté en Guinée. Il y a tout cela, et plus encore, ce chagrin qu'elle ne peut plus contenir, qu'elle ne peut plus masquer. Il faut le rendre au monde à présent, le déverser, le sortir de sa tête, de son corps tout entier.

Elle a honte, tellement honte : pleurer devant cette femme qui a vécu l'enfer. Cette femme qui la prend dans ses bras, la console à présent comme le ferait une mère. *Pleure,* lui dit Tata, *vas-y pleure. Ça te fera du bien*. Alors Solène ne retient plus rien, elle laisse couler sa peine. Elle n'est plus que cela, ce chagrin déversé sur l'épaule de Tata. Elle est une toute petite fille dans ses bras. Elle est Khalidou, Sumeya, elle est tous ses enfants à la fois.

C'est la première fois qu'elle s'effondre ainsi. Elle n'a jamais craqué devant qui que ce soit. Lorsque Jérémy l'a quittée, elle n'a rien dit. Elle a affiché un visage incrédule et puis elle a pleuré de longues nuits, en secret.

Mais pas ici. Pas aujourd'hui. Dans les bras de Binta, Solène s'abandonne. Comme si, étrangement, elle sentait que cette femme pouvait la contenir, la comprendre mieux que quiconque ne l'a jamais fait. Elles ne se connaissent pas, pourtant elles sont proches, si proches à cet instant. Deux sœurs qui n'ont pas besoin de parler. Pas besoin de mots, juste ça, cette étreinte, ce moment partagé.

Les buveuses de thé se sont avancées. Elles dévisagent Solène, étonnées. Elles demandent ce qui s'est passé. D'un geste, Binta leur fait signe de s'écarter, telle une louve protégeant son petit. *Laissez-la respirer.*

L'une d'elles – la femme aux deux euros – va chercher du thé, une autre un mouchoir en papier. Solène se calme, doucement. Elle a les yeux rouges et gonflés. Quelle ironie, songe-t-elle : une avocate en larmes au milieu d'un foyer pour femmes en difficulté. Et dire qu'elle est supposée les aider…

Tant pis pour le qu'en-dira-t-on, tant pis pour les apparences. Solène a soudain l'impression qu'elle se libère d'un poids longtemps porté, d'une armure trop lourde, qu'elle vient déposer ici, aux pieds de Binta, dans le grand foyer. Elle se sent plus légère ainsi, soulagée.

Elle reprend ses esprits, à grands coups de mouchoirs en papier et de tasses de thé. Pendant ce temps, Binta tient conseil, les Tatas réunies autour d'elle. *On ne peut pas la laisser comme ça*, souffle-t-elle. Elles parlementent un moment, avant que Binta ne revienne vers Solène et lâche ce verdict sans appel :

Tu viens avec nous. On t'emmène à la zumba.

Chapitre 11

Blanche frissonne sous sa jaquette en jersey. Albin avait raison, cette nuit de novembre est glaciale. Le froid transperce le cuir des bottes et la laine des manteaux. Il pénètre dans la chair aussi profondément que la lame d'un couteau. Blanche ne sent plus ses pieds, ses mains sont engourdies, gelées. Elle a du mal à remuer les doigts. Il faut pourtant continuer. Ce soir, elle accompagne l'équipe de la Soupe de Minuit – une nouvelle offensive contre la faim et le froid qu'Albin et elle viennent de lancer. Blanche tient à suivre elle-même la distribution des premiers repas.

Bonsoir, madame la Commissaire, lui lance une officière.

Commissaire. Blanche n'est pas encore habituée à ce qu'on la nomme ainsi. Elle n'a jamais été

mue par une quelconque forme d'ambition person-
nelle, mais ce titre la rend fière, elle doit l'avouer.
C'est la plus haute distinction de l'Armée au niveau
national. Albin et elle l'ont reçue conjointement. Ils
en partagent le titre et les responsabilités, comme ils
partagent le reste. Ceux qu'on a pris l'habitude de
nommer indistinctement « les Peyron », comme s'ils
ne formaient qu'un, sont parvenus au sommet de la
hiérarchie, à la tête de l'Armée.

Il a été long, le chemin, malaisé. Dans les années
qui ont suivi le mariage de Blanche et d'Albin, l'organisation salutiste a essuyé ses plus cruels revers. Elle
a même failli se dissoudre, faute de moyens. Un peu
partout, des postes ont fermé. Les villes de France,
les campagnes, toutes ont résisté au projet du pasteur anglais. Et surtout Paris. Paris que Blanche aime
tant, pourtant. Paris qu'elle ne connaissait pas, et
dont chaque pierre lui semble étrangement familière.
De tous les champs de bataille qu'elle a foulés, Paris
est celui qu'elle préfère. Celui où subsistent les plus
grandes inégalités. Celui où les plus démunis sont
broyés. Paris sera le combat de sa vie.

Durant cette période, Blanche donne naissance à
six enfants. Fidèle à ses vœux, elle poursuit sa lutte
au sein de l'Armée, multipliant les collectes en province, à l'étranger, ne ménageant ni son sommeil ni sa
santé. Enceinte quasi constamment, elle doit parfois

se résoudre à interrompre une conférence pour aller accoucher, avant de repartir au front.

Quant à Albin, il est le compagnon fidèle et dévoué qu'il avait promis d'incarner. Il relaie Blanche auprès des enfants afin que chacun puisse œuvrer de son côté. Au fil des années, leur duo s'affine, tels deux instruments s'accordant l'un à l'autre, telles les deux roues d'un vélo avançant en simultané.

Leurs efforts finissent par payer. Après des années de disette et de récession, l'Armée connaît une flamboyante envolée. Sous le règne des Peyron s'ouvre une ère de grandes constructions, d'ambitieux projets. Blanche et Albin fondent le Palais du Peuple dans le quartier des Gobelins à Paris, un hôtel social pour les hommes sans abri, ainsi que le Refuge de la Fontaine-au-Roi pour les femmes. Sous leur impulsion, des hôtelleries et des foyers fleurissent un peu partout en province, à Lyon, Nîmes, Mulhouse, Le Havre, Valenciennes, Marseille, Lille, Metz, Reims… Ils créent l'Armoire du Pauvre qui distribue meubles et vêtements, et la Soupe de Minuit, dont le chaudron sillonne les rues de Paris pour offrir à manger aux plus démunis.

Ils sont nombreux, ce soir-là, à se presser autour de l'énorme marmite norvégienne calée sur une charrette à bras. Ils font la queue dans le froid pour quelques lampées de bouillon qui constituent parfois leur seul repas de la journée. Les officières de l'Armée font circuler des couvertures, des corbeilles de pain. Deux cents soupes, pour deux cents estomacs. C'est trop peu, Blanche le sait. Ils sont des milliers à souffrir de la faim. *Nous n'avons pas d'argent*, murmure un sans-logis en refusant le bol qu'on lui tend. *Nous ne vendons pas la soupe, nous l'offrons*, répond Blanche en soufflant sur ses doigts bleus.

De rares passants glissent sur la chaussée, se hâtant de rentrer chez eux. Ils ne s'arrêtent pas. La pauvreté fait peur, elle écarte, elle effraie. Minuit approche. Bientôt les rues seront à nouveau bruyantes et animées. Les théâtres et les cabarets se videront de leurs spectateurs, qui regagneront leurs intérieurs douillets. Le cœur de Blanche se serre à cette pensée. Qui songera aux cinq mille sans-abri qui errent dans la ville sans toit ni lit ?

Paris la nuit, Blanche connaît. Loin de l'image d'Épinal de la Concorde ou des Champs-Élysées, elle arpente la capitale, la vraie. Elle remonte la rue de Bièvre, des Trois-Portes, la rue Frédéric-Sauton, entre dans les cafés de la place Maubert, où des dizaines d'hommes et de femmes dorment assis, la tête courbée sur leurs bras repliés. C'est ainsi, le vin réchauffe et réconforte. Blanche se fraie un chemin au milieu de cette masse humaine indifférenciée. Cette vision la bouleverse à chaque fois. Certains s'habituent – elle pas. Viennent ensuite les ponts près de Notre-Dame, la rive droite, les ruelles noires et étroites du quartier des Halles. Le *ventre de Paris* abrite en son sein d'obscurs recoins où le malheur s'entasse, dans la crasse et le froid.

Elle est toujours là, l'empathie. Elle ne l'a pas quittée. Blanche est une caisse de résonance pour la souffrance d'autrui. À son contact, celle-ci se réverbère, se démultiplie. La Commissaire a du mal à dormir dans un lit lorsqu'elle sait que certains couchent dehors. Lorsqu'ils ont froid, elle grelotte aussi.

Les femmes, tout particulièrement, la touchent. Elles sont ses *sœurs des rues*, ses *slum sisters* comme les nomment les Anglais. En chacune d'elles, Blanche se reconnaît. Elle voit une autre version d'elle-même, une version maltraitée par la vie. Un *pot cassé*, qu'elle voudrait réparer.

Elle se souvient de cette prostituée qu'elle avait croisée boulevard de la Villette, alors qu'elle n'était encore qu'une jeune officière tout juste engagée dans l'Armée. Assise sur un banc, la robe déchirée, la femme pleurait. Émue, Blanche s'était approchée et, dans un élan incontrôlé, l'avait prise dans ses bras. Elle n'avait rien d'autre à offrir que cela, cette étreinte, ce geste dérisoire et immense qui signifie *je suis avec toi.*

Blanche est avec eux. Par cette nuit glacée, elle continue sa ronde auprès des sans-abri. Albin sera fâché de ne la voir rentrer qu'au matin, assaillie par la toux, épuisée. Qu'importe. Elle sait que sa place est ici, pas dans un lit. Le cortège de la soupe s'arrête dans un faubourg du XIIIe arrondissement, défiguré par la pauvreté. Blanche s'approche d'un baraquement de fortune, quand soudain, un vagissement résonne dans l'obscurité. Elle frissonne. Elle qui a mis au monde six enfants sait reconnaître le cri d'un nouveau-né. Celui-là n'a pas plus d'un mois, elle pourrait le jurer. Elle se faufile parmi les cartons et les tôles ondulées, pour découvrir, sur un matelas à même le sol, un petit corps grelottant de froid. Sa jeune mère est auprès de lui. Elle est pâle, d'une maigreur effroyable. Elle dort dehors depuis l'accouchement, confie-t-elle en toussant. Blanche saisit l'enfant pour le réchauffer. Il faut aller à l'hôpital, de toute urgence, dit-elle. *J'en viens*, répond la jeune maman. *Il n'y a plus de place là-bas.*

Blanche décide de la conduire au centre d'accueil de la Fontaine-au-Roi, un refuge pour femmes qu'Albin et elle ont fondé il y a quelques années. Située au fond d'une impasse, la maison est chauffée et propose deux cents lits. S'y retrouvent des employées de magasin, des colporteuses de bibelots à deux sous, des vendeuses de journaux, des ouvrières sans famille, des domestiques sans travail, des provinciales fraîchement débarquées à Paris, attirées par le mirage de la capitale. Autant de victimes de la crise du logement, que la ville recrache sur ses pavés glacés.

Lorsque Blanche et la jeune maman parviennent devant le centre d'accueil, l'endroit affiche complet : le refuge est pris d'assaut, confie la Commandante de l'Armée qui le dirige. Elle se voit obligée d'en refuser l'accès à des centaines de femmes chaque soir. *Deux cent quinze hier, précisément.* Il faudrait deux ou trois maisons comme celle-ci pour les loger. La jeune mère est livide, son bébé s'est remis à pleurer. Dans la rue, une mendiante s'éloigne, faute d'avoir trouvé un lit, et lui lance en désignant l'enfant : *Tu n'as plus qu'à le flanquer à l'égout, maintenant.*

Cette phrase, Blanche ne l'oubliera jamais. Ces mots vont la hanter.

De son sac et de ses poches, elle sort les pièces et billets qu'elle parvient à trouver et les tend à la jeune maman. De quoi s'offrir quelques nuits dans une auberge chauffée. Cette obole est une solution temporaire autant qu'illusoire, Blanche le sait. La pauvre femme finira par retourner dans son bouge du XIIIe arrondissement. En la regardant s'éloigner, son bébé dans les bras, Blanche sent ses forces la quitter. Toute une vie de combat pour en arriver là. Il n'a donc servi à rien, son engagement ? Tant d'années passées à se battre, à croire en l'Armée. Pourquoi ? À quoi bon continuer ? Un enfant qui meurt de froid, c'est l'humanité tout entière qu'elle est impuissante à sauver. C'est un échec, une débâcle, une déroute plus cruelle que toutes celles qu'elle a dû affronter. Elle voulait changer le monde, quelle vanité ! Son action est dérisoire, une goutte d'eau dans un océan de chagrin. À cet instant, tout lui paraît inutile et vain.

Anéantie, Blanche s'assoit sur un banc. Le jour se lève. Ses membres sont si engourdis par le froid qu'elle ne sent plus ses mains ni ses pieds. Le découragement qui l'envahit est tel qu'elle n'a pas même la force de rentrer. Elle regarde un vendeur ambulant installer ses journaux dans l'aube glacée. Il n'a pas seize ans. Pauvre hère, songe-t-elle, il passera sa journée dehors. Qui sait où il a dormi. Ils sont des milliers comme lui. Elle songe à ses propres enfants, dont la plupart se sont engagés dans l'Armée. Quelle utopie. Elle aurait dû les en dissuader.

Blanche s'approche et tend au jeune vendeur un morceau de pain, dernier vestige de la Soupe de Minuit.

Le gamin la dévisage d'un air étonné. Il prend le quignon et le dévore avidement. Blanche est touchée par ses traits juvéniles. Il y a un reste d'innocence dans ses yeux, reliquat de l'enfance. La vie ne l'a pas encore broyé – cela viendra, songe-t-elle amèrement. Le gosse lui sourit de ses lèvres gercées, et lui tend un journal pour la remercier. Blanche n'en veut pas. *Garde-le. Tu le vendras.* Il insiste. Il ne mendie pas.

Sous ses vêtements d'un sou, il est fier. Touchée, Blanche accepte le journal, avant de s'éloigner.

Elle regagne son appartement, harassée. Le jour est levé. Albin a maraudé toute la nuit lui aussi, il est rentré à l'aube et s'est couché. Blanche sait qu'elle ne parviendra pas à dormir, inutile d'essayer. Elle marche jusqu'à la cuisine et prépare du café. Le liquide brûlant réchauffe lentement ses membres engourdis. Elle a posé le journal sur la table, et le feuillette d'un air indifférent, en songeant à la jeune mère et à son bébé. Combien de temps tiendront-ils dans le froid ? Combien cet hiver fera-t-il de victimes ? Combien d'hommes, de femmes, d'enfants mourront faute d'avoir un abri, à l'image de ces deux sœurs de quatre-vingts ans, retrouvées sans vie dans un champ à Nanterre ? Blanche les connaissait bien. Les deux jumelles venaient d'être expulsées, et n'avaient nulle part où aller. Elles n'avaient jamais été séparées de leur vie. Elles sont mortes ensemble, dans la neige, par une nuit glacée.

Les doigts noircis par l'encre du journal, Blanche tourne distraitement les pages. Quelques mots, soudain, l'interpellent : *Le scandale de Charonne… et il y a des gens qui meurent de froid.* Blanche se fige, pose sa tasse de café.

Albin s'est réveillé. Il entend du bruit à la cuisine. Il se lève et trouve sa femme debout, agitée – elle n'a visiblement pas dormi de la nuit. Sans prendre le temps de l'embrasser, Blanche lui tend le journal, fébrile.

Lis ça, lui dit-elle. *Lis ça et habille-toi.*
On y va.

Chapitre 12

Un cours de zumba ! Face à Binta, Solène a tenté de protester : elle n'a jamais pratiqué la danse, elle n'a aucun sens du rythme, elle est raide comme un piquet. Les Tatas ne lui ont pas laissé le choix. Quand Binta décide, on ne discute pas. Solène a argué qu'elle n'avait pas de tenue, qu'elle ne connaissait ni les mouvements ni les pas.

Tu viens ! a répondu Binta pour clore la discussion. *Ça te fera du bien.*

Des affaires, on va t'en prêter, a ajouté la femme aux deux euros, en lui tendant une paire de leggings. Binta lui a passé un tee-shirt, provoquant l'hilarité de ses amies : *Donne-lui plutôt un de Sumeya ! Elle fait dix tailles de moins que toi !* Toutes ont ri. Binta a haussé les épaules, ignorant la moquerie. *On n'a pas idée d'être maigrichonne comme toi !... Viens passer un mois chez Tata,* a renchéri la première, *elle te fera son* foutti *et ses biscuits ! Kilos garantis !*

Solène a abdiqué. La lettre à Khalidou, elle l'écrira plus tard – de toute façon, elle n'est pas en état aujourd'hui.

Le cours de zumba se tient une fois par semaine au gymnase du Palais. Il est accessible aux gens du quartier et aux résidentes, selon le principe de mixité prôné par la directrice. Certaines employées y participent aussi, dont la jeune femme de l'accueil. La petite Sumeya, rentrée de l'école, assiste au cours en prenant son goûter, auprès de Viviane, la tricoteuse – celle-ci ne danse pas mais s'assoit dans un coin, ses aiguilles à la main. Elle semble apprécier la musique et l'ambiance.

Binta présente Solène au professeur de danse. Fabio a vingt-sept ans, un corps d'athlète et un accent brésilien charmant. Jeune et joli, songe Solène. Hélas, elle n'est guère à son avantage aujourd'hui, vêtue d'un collant fluo et d'un tee-shirt surdimensionné, qui flotte sur elle comme une chemise de nuit. Fabio l'accueille chaleureusement. *Ici, on n'est pas là pour juger,* lui dit-il, *juste pour s'amuser. Il n'y a pas d'esprit chagrin. Les soucis, on les laisse au vestiaire.*

Solène se place au fond de la salle, mais Fabio la fait remonter au premier rang. *Tu seras mieux devant.* Elle obéit, la mort dans l'âme. Il branche son iPhone aux amplis et un titre de Rihanna retentit.

En un éclair, la musique emplit tout l'espace. C'est un tube rythmé, entraînant, qui parle de diamants, et du choix d'être heureux. *Regarde-nous, regarde-nous briller dans le ciel, regarde-nous, comme on est beaux, tellement vivants*, dit la chanteuse en anglais. Solène n'a guère le temps d'écouter les paroles, elle tente de suivre, tant bien que mal, les mouvements de Fabio. Le jeune homme s'est lancé dans une chorégraphie endiablée. Son énergie est communicative, il ressemble à une pile qu'on viendrait de charger.

Solène est perdue. Trop de pas, trop d'enchaînements. Tout est nouveau, tout va trop vite. Elle n'a pas encore fini un mouvement que Fabio est déjà passé au suivant. L'exercice demande à la fois sens du rythme, coordination et lâcher-prise. Elle n'a rien de tout cela. Autour d'elle, les Tatas suivent d'un air habitué. Solène est en nage, essoufflée. Elle n'y arrive pas.

Ne t'inquiète pas, lui dit Fabio entre deux chansons. *C'est une question d'entraînement. Concentre-toi sur tes pieds. Pour les bras, on verra après.* Solène acquiesce et reprend. Devant les Tatas, elle ne veut pas flancher. Elles l'ont amenée ici, ce n'est pas rien. Cette invitation à partager leur cours est un adoubement. Un geste qui signifie : tu as ta place dans cet endroit.

Alors Solène ne lâche pas.

Elle a les yeux rouges d'avoir trop pleuré, les cheveux emmêlés, elle est à bout de souffle, au bord de la syncope, vêtue comme un épouvantail, mais elle tient bon. Elle commence même à éprouver un étrange sentiment de bien-être, à se laisser gagner par l'enthousiasme ambiant. Il y a la musique et Fabio, il y a les Tatas, la petite Sumeya. Il y a la tricoteuse, dont les aiguilles s'agitent en rythme. Solène sourit. Elle est en vrac, en morceaux, mais elle est en vie. Elle sent son cœur battre à tout rompre, ses tympans vibrer, son sang affluer dans ses membres et chaque partie de son corps. Tous ses muscles sont contractés. Elle a des crampes partout, mal à des endroits qu'elle ne connaissait pas. Il lui semble qu'elle sort de longs mois de torpeur, tel un ours polaire chassé de sa tanière. Telle la Belle au bois dormant s'éveillant au bout de cent ans.

Elle saute, bat des mains et des pieds, fait bouger ses jambes et ses bras, elle trébuche, perd la cadence, se rattrape, se relance. Elle s'abandonne à la musique parmi les Tatas, et leur danse, soudain, est comme un grand pied de nez au malheur, un bras d'honneur à la misère. Il n'y a plus de femmes mutilées ici, plus de toxicomanes, plus de prostituées, plus d'anciennes sans-abri, juste des corps en mouvement, qui refusent la fatalité, hurlent leur soif de vivre et de continuer. Solène est là, parmi les femmes du Palais. Elle est là et elle danse, comme jamais elle n'a dansé.

La séance s'achève dans une profusion de cris et d'applaudissements. Solène est dans un état second. Elle n'a aucune idée du temps qui s'est écoulé. Une heure ou deux, elle n'en sait rien.

Le silence se fait, la salle se vide en un éclair. Les Tatas disparaissent vers les étages, les employées et les non-résidentes quittent le gymnase. Binta emmène Sumeya, la tricoteuse rassemble ses pelotes et s'en va. Fabio s'éloigne de son côté. Solène n'a pas le temps de retirer les vêtements qu'on lui a prêtés pour les rendre aux Tatas. *Tu leur donneras la prochaine fois*, lui dit la jeune femme de l'accueil en rajustant le foulard discret qui couvre ses cheveux. *Pour une débutante, tu t'en es bien sortie*. Solène sourit. Elle sait que ce n'est pas vrai, mais la sollicitude de la jeune femme la touche. Il y a dans son visage une douceur qui inspire la sympathie. Elles n'ont jamais eu l'occasion de se présenter vraiment, ni de discuter.

Je m'appelle Salma, ajoute la jeune employée en lui tendant la main. Solène s'en saisit, enchantée.

Elles se dirigent ensemble vers le hall d'entrée, évoquant les courbatures probables du lendemain. Salma confie qu'après son premier cours, elle a eu du mal à marcher pendant deux jours. Elle désigne alors un petit restaurant japonais, juste en face du Palais. Avec quelques collègues, elles ont l'habitude de s'y retrouver, chaque semaine, après la zumba. Ce n'est pas de la grande gastronomie, 7,50 euros pour un menu brochettes ou makis, mais l'endroit est calme, et la patronne sympa. Si le cœur lui en dit…

Solène hésite. La nuit vient de tomber. Elle songe à son appartement où personne ne l'attend. Elle n'a aucune envie de rentrer. Elle a besoin d'un peu de chaleur après cette interminable journée. Ce n'est pas si souvent, pense-t-elle, qu'on recroise son grand amour dans la rue, qu'on achète des chaussons pour bébé à la volée, qu'on s'effondre en larmes dans les bras d'une inconnue, qu'on prend son premier cours de zumba au milieu des Tatas.

Elle accepte la proposition de Salma. Elle n'a pas mis les pieds dans un restaurant depuis des mois, mais elle s'en sent capable aujourd'hui. Et qui sait ? Elle n'est pas à l'abri de se faire des amies.

Chapitre 13

Elles restent tard à discuter dans le restaurant japonais. Les collègues de Salma s'appellent Stéphanie, Émilie, Nadira, Fatoumata. Elles sont travailleuse sociale, éducatrice jeunes enfants, secrétaire et experte-comptable. Elles confient qu'elles savourent ce moment de répit, après leurs journées éprouvantes au Palais. Entre ses murs, tout est plus intense. La vie bat plus fort, les émotions sont décuplées. Le manque de tout et la misère tendent les rapports entre les résidentes et les employées. Certaines personnalités sont difficiles à gérer.

Elles en arrivent à parler de Cynthia – *on en arrive toujours à parler de Cynthia*, confie Salma. Cynthia l'énervée. Solène se souvient de ses cris dans le grand foyer. *Il y a encore eu un incident aujourd'hui*, soupire Stéphanie. Cynthia a vidé l'intégralité du frigo partagé de la cuisine du deuxième étage, et a tout balancé. On ne sait plus quoi faire avec elle, poursuit-elle. Elle a déjà été sanctionnée maintes fois. À la prochaine incartade, elle risque l'exclusion. Mais l'exclusion, ici, est lourde de conséquences. C'est un fait rarissime dans l'histoire du Palais – sa vocation est d'accueillir, pas de rejeter.

La plupart de celles qui vivent ici n'ont qu'un rêve : avoir leur propre logement. Habiter en foyer n'est pas un choix, mais une nécessité. Un pis-aller. Une salle d'attente pour une vie meilleure. L'attente peut durer longtemps, parfois des années. Pourtant, certaines ont du mal à se détacher du Palais. Après huit ans de bataille administrative, une résidente a enfin obtenu le HLM qu'elle espérait. Depuis qu'elle y est installée, elle revient passer ses journées au foyer. Dans son nouveau quartier, elle ne connaît personne. Elle se sent seule et s'ennuie. Ici, dit-elle, on a toujours quelqu'un à qui parler. Et puis il y a les cours, les activités, les employées. Il y a le monde, il y a la vie.

Salma peut en témoigner. Elle a longtemps vécu au Palais, avant d'y être engagée comme hôtesse d'accueil. Elle est arrivée enfant, avec sa mère, fuyant la guerre en Afghanistan. Elle se souvient encore du jour où elle a franchi les portes du foyer pour la première fois. Elle s'est approchée du grand piano à queue, fascinée : elle n'avait jamais vu pareil instrument. Elle a avancé la main et appuyé sur une touche. Un son puissant a retenti dans la salle. Immédiatement, sa mère lui a ordonné de cesser, mais la directrice d'alors lui a dit, dans les quelques mots de pachtoune qu'elle avait appris : *Laissez-la. Elle peut jouer.* Elle a ajouté : *Vous êtes chez vous ici.*

La petite fille a grandi entre le piano à queue et le studio de 12 m² qu'on leur a attribué. Ni Salma ni sa mère ne parlaient le français. Pour apprendre à lire, l'enfant s'entraînait à déchiffrer les plaques des chambres de leur étage ; sur chaque porte est inscrit le nom d'un fondateur, ou une citation. Elle a fini par les connaître par cœur. Le Palais est devenu à la fois son terrain de jeux et sa maison, un incroyable champ d'exploration.

Elle évoque avec affection Zohra, la femme de ménage auprès de laquelle elle courait se réfugier lorsque sa mère la grondait. Zohra la consolait toujours de quelques *ghribiyas* sortis de sa blouse, ces petits sablés dont Salma raffolait. Elle se souvient des tatouages au henné qui ornaient son front, son menton et ses mains et qui, affirmait Zohra, la protégeaient du mauvais sort. Elle est encore là aujourd'hui. Après quarante ans de service, Zohra est la plus ancienne employée du Palais. Elle connaît tout le monde ici et recueille les confidences de chacune. Elle parle peu, mais elle sait écouter. Zohra dit qu'avec toutes les larmes qu'elle a vues couler, elle pourrait remplir une piscine. On l'appelle aussi pour apaiser les conflits. La vieille femme ne prend jamais parti, mais elle est sage et avisée. À son contact, les plus récalcitrantes finissent par s'amender. Dans quelques mois, elle partira à la retraite. C'est une page de l'histoire du Palais qui va se tourner. C'est aussi un peu de l'enfance de Salma qui va s'en aller.

Salma, en arabe, son prénom signifie « entière, en bonne santé ». Elle se dit fière de le porter. Elle raconte comment, dans son pays, les femmes sont dépossédées de leur identité. Dans la société afghane, les étrangers à la famille n'ont pas le droit de connaître le prénom des femmes. On doit les appeler par celui d'un homme. Elles sont « la femme de », « la fille de », « la sœur de ». En cas de doute, on dit « tante ». Les Afghanes n'ont pas d'existence propre dans l'espace public. Cette tradition persiste notamment dans les campagnes, où vivent les trois quarts de la population. Partout, les femmes luttent pour la reconnaissance de leur identité. Elles clament leur droit à exister.

Ici, Salma n'est la fille ni la sœur de personne. Elle est simplement *elle*, Salma. Elle tient debout toute seule, et cela lui plaît. Elle se sent reconnaissante envers ce pays qui l'a adoptée.

Après dix ans passés en tant que résidente au Palais, Salma jouit aujourd'hui d'un statut différent. À présent, elle est une employée.

Pair-aidante, tel est le terme consacré. C'est ainsi qu'on nomme les personnes dans son cas. Selon les mots de la directrice, Salma a « un savoir expérientiel », une expression compliquée pour dire qu'elle comprend les tourments de l'errance, la précarité, le déracinement. Son vécu a de la valeur, a dit la directrice – et cette idée a surpris Salma. Elle s'est vu proposer une formation, à l'issue de laquelle elle a signé un contrat. Le tout premier de sa vie.

Aujourd'hui, Salma n'habite plus ici. Elle a son propre appartement, un salaire, un emploi. Elle est consciente de la chance qui lui a été donnée. Elle fait partie d'un monde envié, le monde de ceux qui travaillent, en d'autres termes qui sont utiles, nécessaires à la bonne marche de la société.

Il lui est difficile de dire ce qu'elle ressent lorsqu'elle s'assoit à l'accueil, derrière le comptoir en Formica. Il est tel qu'elle l'a connu il y a vingt ans. Le hall n'a pas vraiment changé, malgré les récents travaux de rénovation. Il y a le planning des activités, les fauteuils destinés aux nouvelles venues. Elle s'y revoit, assise auprès de sa mère, avec pour tout bagage cette valise qu'elles étaient parvenues à sauver de la traversée. Leur voyage avait duré des mois. Elles étaient exténuées.

À présent, c'est elle qui tient le standard. Elle gère les départs et les arrivées. Elle accueille, oriente, écoute, comme elle-même a été accueillie, orientée, écoutée. Au Palais, tout le monde l'apprécie. Cet endroit l'a sauvée. Elle voudrait lui rendre tout ce qu'il lui a donné.

C'est elle désormais. Oui c'est elle, dit-elle avec fierté, la gardienne du Palais.

Chapitre 14

Cette nuit-là, Solène ne parvient pas à trouver le sommeil. Trop d'émotions, trop de pensées se bousculent en elle. Elle songe à ce que Salma lui a dit en quittant le restaurant japonais : il est parfois difficile de refermer la porte du Palais. *On emporte toujours quelque chose d'ici avec soi.*

Solène pense à Binta, à Sumeya, à Cynthia, à Cvetana, à la tricoteuse, à la dame aux cabas. À Salma. Elle ne sait que faire de tout cela, ces vies entamées, ces chemins abîmés, ces souffrances qu'on lui a confiées. Comment s'en libérer à présent ? Comment oublier ? Comment continuer à vivre, comme si de rien n'était ?

Elle hésite à prendre des cachets pour sombrer, et se ravise. Non, elle ne cédera pas à la facilité des somnifères. Pas cette fois. Elle se lève et allume la lumière. Quitte à ne pas dormir, autant écrire. Loin, très loin d'ici, en Guinée, un petit garçon attend des nouvelles de sa mère. Cette lettre, Solène l'a promise à Binta. Elle la lui doit. Elle ne veut pas la décevoir après ce qu'elles ont partagé.

Elle ne s'installe pas à son ordinateur ; l'outil ne lui semble pas approprié. Il est des lettres qu'on écrit à la main. Et qu'on dicte avec le cœur.

C'est sans doute la tâche la plus difficile qui lui ait été confiée. Elle n'avait pas saisi jusqu'alors le sens profond de sa mission : *écrivain public*. Elle le comprend seulement maintenant. Prêter sa plume, prêter sa main, prêter ses mots à ceux qui en ont besoin, tel un passeur qui transmet sans juger.

Un passeur, voilà ce qu'elle est.

Binta a fui loin de la Guinée. À Solène de la rendre à ce pays qu'elle a quitté, de la restituer à son fils, à travers quelques mots échangés.

Dans ces quelques grammes de papier, il y a le poids d'une vie. C'est lourd et léger à la fois. Ce n'est pas rien, songe Solène, d'être dépositaire de cela. Elle pense à la confiance que lui a accordée Binta en lui livrant son histoire. Elle doit en être digne. Elle ne sait comment elle va s'y prendre, mais elle va s'acquitter de ce devoir avec toute l'honnêteté, toute l'intelligence et la sensibilité que la nature a bien voulu lui donner. Les mots, elle va les trouver, dût-elle y passer la nuit.

Elle se lance sur le papier, telle une plongeuse du haut d'un rocher. Elle écrit, rature, barre, reprend. Elle ignore comment on s'adresse à un enfant de huit ans – elle manque d'expérience en la matière. Elle tente d'imaginer Khalidou, de déduire ses traits du visage de sa mère et de sa petite sœur. Soudain, elle le voit. Il est là. Auprès d'elle. Elle lui chuchote des mots, tout doucement, à l'oreille. Elle lui dit que sa maman l'aime. Qu'il est son trésor, sa fierté. Elle lui dit qu'ils se reverront, un jour, elle le lui promet. Elle lui conte son histoire, leur histoire qui n'est pas terminée, et qu'ils vont continuer à écrire, ensemble, à distance, lui en Guinée, elle à Paris. Elle lui dit qu'elle va bien, et Sumeya aussi. Qu'elles sont en sécurité ici. Elle lui dit qu'elle pense à lui, tous les jours, toutes les heures, toutes les nuits. Qu'elle l'imagine devenir grand, fort et beau. Qu'elle regrette de ne pas être à ses côtés, mais qu'elle est là, toujours, avec lui, en pensée.

Toujours, tout près.

Tandis qu'elle écrit, un étrange phénomène se produit. Solène *devient* Binta. Elle *devient* Khalidou. Comme si, de ce courrier, elle était à la fois l'expéditrice et la destinataire, mêlées. C'est un drôle de sentiment, qu'elle ne connaissait pas : celui d'être gagnée par la vie des autres, envahie, habitée.

Ce n'est pas elle qui tient la plume. Il lui semble que quelqu'un se penche sur son épaule et lui souffle le contenu de la lettre. Les phrases roulent, limpides, évidentes, elles se succèdent et s'enchaînent dans une étonnante fulgurance. Les mots lui viennent sous la dictée d'une muse invisible, d'une entité plus grande qu'elle.

Elle n'est jamais allée en Afrique. Elle n'a jamais été mutilée. Elle n'a jamais connu l'enfantement, ni la douleur d'abandonner ce que l'on a porté et élevé. Elle n'a pas traversé le Mali ni l'Algérie, elle ne s'est pas dissimulée dans la cale d'un cargo, sa fille pelotonnée contre elle, sans boire ni manger durant des jours et des nuits. Elle ne sait pas le désespoir, l'angoisse qui vous noue le ventre d'être découverte, renvoyée. Elle ignore la peur de finir noyée dans l'obscurité, au fond de cette eau glacée qui en a vu périr tant d'autres avant elle.

Elle ne connaît rien de tout cela, de ce chemin qui est un combat, de cette vie en forme de survie.

Pourtant les mots sont là. Ils s'imposent à elle, comme si la voix de Binta se mêlait à la sienne. C'est un chant étrange, une injonction en forme de dictée, une transfusion d'âme, où Solène donne autant qu'elle reçoit.

Le jour se lève déjà. Par la fenêtre, les premières lueurs de l'aube apparaissent, colorant le ciel et les toits. La lettre est terminée. Elle s'est enfantée seule, telle une génération spontanée de papier. Solène se sent à la fois remplie et vidée. La lettre fait dix pages – une lettre fleuve, qui prend sa source à Paris pour se jeter dans la baie de Sangareya, près de Conakry, où vit la famille de Binta.

Dix pages pour l'amour d'une mère, il fallait au moins ça, songe Solène en s'endormant ce matin-là.

Au moins ça, pour Binta.

Chapitre 15

Assis devant une tasse de café, Albin découvre l'article paru ce 28 novembre dans le journal que lui tend Blanche. Il en parcourt les lignes à haute voix :

Un immeuble immense, situé en plein Paris, au coin de la rue Faidherbe, contenant 743 chambres, reste inhabité depuis plus de cinq ans, alors que la crise du logement sévit, intense, dans la capitale. (…) Il appartient à la fondation Lebaudy qui l'a fait construire peu de temps avant la guerre pour servir d'hôtel aux hommes célibataires. La Ville a envisagé son acquisition, mais a dû renoncer en raison du prix qui est demandé et des frais considérables d'aménagement qu'elle aurait à y faire. D'autres projets ont également vu le jour au sein des administrations de Paris, mais aucun n'a abouti…

Impatiente, Blanche lui prend le journal des mains, et poursuit fébrilement :

… 743 chambres toutes pourvues de fenêtres, réparties sur cinq étages, avec son grand hall d'entrée, sa salle de réception spectaculaire, ses lavabos, ses salles de bains, ses cuisines vastes bien aménagées (…). Depuis sa fermeture, il a abrité les services du ministère des Pensions, mais il est vide aujourd'hui…

Elle lève les yeux vers Albin. Cette expression dans son regard, il la connaît. Il sait exactement les mots qu'elle va prononcer.

Habille-toi. On y va.

Mais Albin ne bouge pas. Blanche tousse, elle est exténuée par sa ronde de nuit, elle n'a pas dormi. Il ne la laissera pas sortir dans cet état, pas cette fois. Comprenant qu'il va lui falloir vaincre sa résistance, Blanche s'assoit à ses côtés et raconte sa nuit, la jeune accouchée, le nouveau-né dans le froid, les mots de la mendiante. Elle dit le sentiment de découragement qui l'a assaillie. Avec ce bout de journal lui reviennent son courage, son énergie. Le petit vendeur n'était pas là par hasard, souffle-t-elle. Il est un signe du destin. Blanche a la foi chevillée au corps. Cet article est un appel, une injonction du ciel. Une mission que Dieu lui confie.

Un hôtel, vide, dans Paris ! Blanche a les yeux brillants de fièvre, mais elle se tient debout, droite, devant Albin. Cet hôtel, il faut l'acheter ! Et y loger toutes les femmes sans-abri de Paris.

Son époux la dévisage, inquiet : la fièvre la fait délirer. Acheter cet immeuble ? Il vaut des millions ! La suite de l'article le confirme : *Le sous-secrétaire d'État des Postes aurait voulu y installer ses services mais les frais l'ont découragé.* La Mairie de Paris elle-même n'a pas les moyens de payer ! Comment eux le pourraient-ils ?…

Blanche s'échauffe : *Des millions, et après ? Qu'est-ce qu'un million ? Mille fois mille francs, dix mille fois cent francs, cent mille fois dix francs. S'il faut aller chercher cent mille fois dix francs, je le ferai !*

Albin sait qu'elle dit vrai. Blanche est un char d'assaut. Lorsqu'elle a une idée en tête, rien ne peut l'arrêter. Des batailles, ils en ont livré, et non des moindres. L'opinion publique commence enfin à les prendre au sérieux. On a cessé de considérer l'Armée comme une ridicule secte anglaise. Les détritus qu'on leur jetait à leurs débuts ne sont plus que d'obscurs souvenirs. L'hostilité s'est muée en curiosité. Une ère de mouvement a démarré. Des hommes politiques et des hauts fonctionnaires veulent favoriser leur action. À force de ténacité, les Peyron ont conquis Paris. Paris, l'imprenable, a fini par céder sous leurs assauts répétés.

Mais Blanche ne se satisfait pas de ces quelques victoires sur la faim et le froid. *Ce n'est pas assez,* dit-elle. *Ce n'est jamais assez.* Une action doit succéder à une autre, comme les coups de pédale sur le grand-bi. *La souffrance s'arrête-t-elle ? Non. C'est pour cela que nous ne pouvons pas nous arrêter.*

Il manque un endroit pour les femmes, explique-t-elle, un lieu qui leur soit exclusivement réservé. Le Refuge de la Fontaine-au-Roi n'est pas assez grand. Elles sont des milliers, sans toit ni abri, dans la seule ville de Paris. Autant de candidates aux agressions, à la prostitution. Au début du siècle, l'historien Georges Picot tentait déjà d'alerter l'opinion publique à ce sujet. *Il y a mille lits honnêtes pour cent mille femmes isolées !* clamait-il. Depuis, rien n'a changé. *Va-t-on accepter cet état de fait ?* demande Blanche. *Cet enfant dans la neige est le nôtre, tous ces enfants sont les nôtres. Si nous voulons les protéger, il faut aider celles qui leur donnent la vie. C'est l'absolue priorité.*

La réalité qu'elle décrit, Albin la connaît. Il a vu ces femmes et leurs enfants réduits à la mendicité, le long des avenues balayées par le vent. Il sait le désespoir, la faim des mères qui errent, le ventre vide d'avoir cédé leur seul morceau de pain à leurs petits. Dans cette interminable crise du logement qui frappe le pays, les femmes ne sont pas épargnées. Elles sont en première ligne, les premières sacrifiées.

Acheter cet hôtel est une folie, Blanche le sait, mais les Peyron ne sont pas à une folie près.

Ce n'est pas tant l'ampleur de l'entreprise qui effraie Albin, que la santé de Blanche. Elle est atteinte d'une affection des poumons grandissante, d'un début de surdité, de crises de migraine invalidantes. Elle a mal aux dents, mal aux os. Une sciatique la cloue régulièrement au lit. Une vie entière de combat salutiste, dans la boue et le froid, a laissé des stigmates. Blanche ne se plaint pas, elle a l'élégance de souffrir en silence. Quand, des années plus tard, le docteur Hervier lui annoncera, accablé, un cancer généralisé, elle n'en dira rien à personne. Elle gardera le secret, et continuera à lutter, sans bruit, comme elle l'a toujours fait.

Pour l'heure, elle est debout, dans la cuisine, et déjoue chaque objection d'Albin. Elle lui rappelle leur engagement premier, leur vœu commun de voir en l'Armée un *grand filet de sauvetage dont les mailles seraient assez serrées pour que nul ne puisse nous échapper*. Les mailles sont encore trop lâches, souffle-t-elle, elles laissent passer les femmes et les bébés. Albin finit par abdiquer. Contre une énième promesse d'aller voir le médecin, Blanche obtient son assentiment : ils iront visiter cet hôtel, dès aujourd'hui.

Ils gagnent la rive droite en tramway, remontent la rue Faidherbe à pied, pour s'arrêter au croisement de la rue de Charonne. Blanche lève les yeux vers le gigantesque bâtiment qui domine le carrefour. Sa façade en briques monumentale s'élève au-dessus des maisons du faubourg. On dirait une forteresse, une citadelle, se dit-elle.

Ils gravissent les marches de l'escalier menant à la porte principale, où les attend un commis de la maison Lebaudy. Lorsque Albin a appelé la Fondation, une heure plus tôt, son interlocuteur a eu l'air étonné. Voilà des mois que plus personne ne s'intéresse au bâtiment, jugé trop cher et trop grand. Un employé a été dépêché sur-le-champ pour organiser la visite.

À la suite du commis, les Peyron pénètrent dans le hall d'entrée. Blanche est saisie par la clarté de l'endroit. Dotée d'une verrière zénithale, la pièce est vaste et lumineuse. Aux nuages floconneux de la veille a succédé un ciel bleu acier. Des rayons de soleil viennent éclabousser le sol à leurs pieds. Du dehors ne subsiste aucun bruit, comme si le reste du monde s'était évanoui. Blanche est envahie d'une impression de sérénité. Il lui semble qu'elle pourrait passer sa vie ici, dans ce foyer baigné de silence. Toute une vie à prier.

Le commis a l'air pressé de débuter la visite. Il leur fait traverser des salles de réunion, un salon de thé puis une bibliothèque. Blanche observe les lambris en céramique, les pavages de mosaïques qui agrémentent les murs et les plafonds. Chaque pièce est percée de larges fenêtres. L'ensemble est décoré avec goût. Ils découvrent une immense salle de réception – près de six cents personnes peuvent y tenir assises, précise le commis, et mille debout. Blanche se surprend à imaginer ce que cet espace pourrait accueillir : un restaurant populaire, ouvert aux démunis et aux gens du quartier. Une gigantesque cantine pour les défavorisés. L'endroit pourrait également servir à organiser les festivités de Noël, un grand réveillon auquel seraient conviés tous ceux qui n'ont pas les moyens de le célébrer.

Le commis les mène à présent vers un large escalier conduisant aux étages. Des centaines de chambres se succèdent le long d'interminables couloirs, autour de deux cours intérieures – un vrai labyrinthe, songe Blanche. Il faudrait des panneaux pour aider à se repérer. Cet endroit est une ville en elle-même. Une ville en plein Paris.

Ils parviennent enfin sur le toit, aménagé en terrasse. Blanche a le souffle coupé devant le panorama. De là-haut, on aperçoit le tracé des avenues, les gares, les églises, les monuments. Paris se déroule sous ses yeux comme un plan. Happée par le spectacle de la capitale, elle ne prête qu'une oreille distraite aux explications du commis. Ce dernier s'est lancé dans l'historique du bâtiment. Bâti en 1910 par la fondation Lebaudy, dont la vocation est d'assurer un logement décent aux travailleurs pauvres et ouvriers, l'hôtel s'est vidé en 1914, lors de la mobilisation. Il fut alors transformé en hôpital de guerre où lui sont

revenus, blessés ou mourants, ses anciens pension-
naires.

Blanche est ailleurs, dans ses pensées. Cet endroit
est incroyable, mais il est hors de prix. Les travaux
de rénovation coûteraient autant que l'acquisition du
bâtiment. En tout, sept millions de francs à trouver.
L'Armée n'a pas les moyens. Pourtant cet hôtel est
l'endroit rêvé où implanter son projet. Comment réaliser ce tour de force ? Blanche se sent tiraillée, oscil-
lant entre enthousiasme et incrédulité.

La visite va s'achever. Le commis conclut son
exposé. En les raccompagnant vers la sortie, il précise
que l'édifice est bâti sur le terrain d'un ancien couvent, celui des Filles de la Croix – des sœurs domi-
nicaines contemplatives, auxquelles était confiée en
leur temps l'instruction des jeunes filles. L'ordre fut
dissous au début du siècle, les religieuses expulsées et
le couvent fermé, en application de la loi interdisant
l'enseignement congréganiste. Le domaine fut entièrement rasé : outre le monastère, il comprenait une
chapelle, un jardin potager et un cimetière. Blanche
sort de ses pensées. Une image la saisit. Soudain,
elle les voit, ces femmes vivant en communauté, ces
sœurs expulsées, chassées. Elles sont là, devant elle,
en prière au fond de leur cellule, sous les arcs de la
chapelle, au milieu du potager. Elles sont là, enterrées sous leurs pieds, sous les fondations de l'hôtel
qu'ils sont en train de visiter. Leurs âmes et leurs

esprits hantent ces murs. Chaque pierre résonne de leurs voix. Blanche peut les sentir, les entendre. Elles sont là.

À cet instant précis, ses doutes sont balayés. Elle le sait à présent : c'est ici qu'elle doit réaliser son projet. Cet espace appartient aux femmes. Elle va leur rendre ce qu'on leur a volé.

Nous trouverons l'argent, se dit-elle. *Oui, nous le trouverons, dussé-je y laisser la santé.*

Cet endroit n'est pas un hôtel. C'est un palais.

Chapitre 16

Paris, aujourd'hui

Binta écoute, les yeux mi-clos. Elle ne fait pas de commentaires. Elle laisse les mots s'égrener, comme les patenôtres d'une prière.

Assise près d'elle, Solène lui lit à voix basse les feuillets qu'elle a rédigés. Dans le silence de la nuit, les mots lui sont venus, surgissant de nulle part, ils ont afflué par centaines, par milliers, se bousculant, se déversant par phrases entières sur le rivage de papier. Elle n'a pas eu grand-chose à faire. Elle les a laissés passer, se contentant de les ordonner, de leur apprendre les bonnes tournures, les bonnes manières – certains récalcitrants ont dû rentrer dans le rang. Il ne faudrait pas que Khalidou prenne peur en les voyant. Il ne faudrait pas que son père déchire le courrier.

Maintenant, ils sont présentables. Solène se sent fière d'eux, comme elle le serait d'enfants un peu turbulents qu'elle aurait apprêtés pour une cérémonie. Ils sont beaux, ses mots, couchés sur le papier. Elle est heureuse de les accompagner, de les livrer ici, à l'oreille de Binta, au milieu du foyer.

Un silence suit la fin de la lecture. Binta ne manifeste aucune réaction. Elle a besoin de temps, comme d'un sas de décompression après les mots de Solène. Ils sont puissants, ils sont nombreux. Ils sont plus forts qu'elle. Ce ne sont pas les siens mais elle les reconnaît. Elle les comprend.

Elle finit par lever les yeux vers Solène et lui dit simplement : *C'est bien*. Il n'y a rien d'autre que cela, cette phrase réduite à sa plus courte expression pour dire *ça me va*. Tu as compris ce que je ressentais et tu l'as restitué, là, sur ces feuilles de papier, qui vont maintenant s'envoler vers mon fils et qu'il tiendra entre ses mains, ces feuilles qui vont lui dire mon amour, ma douleur, mon chagrin. C'est un peu de mon cœur qu'il y a là, dans tes mots, un peu de mon cœur que je lui envoie, grâce à toi.

C'est bien. Solène reçoit la petite phrase comme un grand cadeau. Elle ne s'est pas trompée. Elle n'a pas failli à sa mission, n'a pas trahi la confiance de Binta.

Il reste un dernier détail, cependant, à régler. Cette lettre, il faut la signer. Solène n'a pas voulu le faire, elle n'en a pas le droit. Les mots, elle a su les trouver, mais leur sens appartient à Binta. Signer une lettre, ce n'est pas seulement y apposer son nom, c'est beaucoup plus que cela. C'est la revendiquer, la faire sienne entièrement. Se l'approprier.

Alors Binta saisit le stylo de Solène, et inscrit au bas du dernier feuillet un mot, qui est à lui seul un monde entier : *Maman*.

Solène sent son cœur se serrer. Elle est un peu dans ce mot-là, elle aussi, aujourd'hui, cachée entre l'encre et le papier, tel un passager clandestin. Elle ne va pas se mettre à pleurer, pas cette fois. Elle est émue, mais se retient.

Il est temps de plier la lettre et de la glisser dans l'enveloppe. Binta ira elle-même la porter au bureau de poste. Juste avant de s'en séparer, elle soufflera dessus un baiser, semblable à celui qu'elle a déposé sur la joue de Khalidou, sans l'éveiller, la nuit où elle est partie. Un baiser immense et doux, qui voyagera jusqu'à lui.

Excusez-moi ! Solène est brutalement tirée de ses pensées. Elle n'a pas vu Cynthia approcher. Binta s'est levée à son entrée et s'éloigne aussitôt, sa lettre à la main, pour éviter une nouvelle algarade. Entre Cynthia et les Tatas, la guerre est déclarée depuis longtemps déjà.

Mais ce n'est pas Binta que Cynthia cherche cette après-midi. Elle s'avance vers Solène et s'assoit. Elle a quelque chose à lui demander, déclare-t-elle. Ce n'est pas une lettre. Enfin, pas tout à fait.

135

C'est la première fois que Solène rencontre officiellement Cynthia. Elle aurait préféré que Binta reste à ses côtés. La jeune femme l'effraie. Elle a une façon de parler, de s'adresser à l'autre qui sonne comme une insulte, un juron. Elle ressemble à une cocotte-minute sous pression, sur le point d'exploser.

Cynthia la dévisage, l'œil froncé, avant de s'expliquer. Elle est en conflit avec l'administration du Palais. Depuis longtemps, elle demande à changer de studio. Elle n'en peut plus du deuxième étage, des Tatas, des poussettes, des enfants qui crient dans les couloirs, des plaques de cuisson en panne quasi constamment. Des mois qu'elle mange froid, qu'elle ne dort plus. Elle s'est plainte mille fois mais ses récriminations restent vaines. On n'est pas à l'hôtel, lui a-t-on répondu, on ne change pas de chambre comme ça. Après chaque départ, les studios sont repeints, rénovés à l'intention des futures résidentes. On ne peut multiplier les travaux pour raisons de convenance. Cynthia a beau dire qu'elle n'a pas besoin d'un studio neuf, qu'elle veut juste dormir en paix, que dans le sien, elle n'y arrive pas, on ne donne pas suite à ses doléances.

Un jour, elle se tirera d'ici, dit-elle. L'enfer, ici. Au Palais, tout lui pèse, la promiscuité, le manque de liberté, le règlement intérieur qui fixe les horaires des visites, le surveillant qui la sanctionne au moindre pas de travers. Ici rien ne va. Elle a contacté la déléguée des résidentes, qui siège au conseil d'administration, mais sa voix n'a pas été entendue. Déléguée, mon cul ! La fille ne veut pas faire de vagues. Toutes ici craignent de retourner dans la rue, et cette peur les rend lâches. Cynthia est la seule à dire haut et fort ce qu'elle pense. Tant pis si ça ne plaît pas. On cherche à la museler par toutes sortes de sanctions. Ses visites ont été suspendues pour un mois, sous prétexte qu'elle s'était battue avec une des Tatas. La fille l'avait cherchée, elle l'a trouvée. De toute façon, Cynthia s'en fout. Des visites, elle n'en reçoit pas. Elle n'invite personne dans ce trou pourri, non merci. Elle déteste tout le monde ici, sauf Salma, à l'accueil, la seule sympa.

Alors voilà, si Solène pouvait aller parler à la directrice, ça aiderait.

Elle, on l'écoutera.

Solène est embarrassée. Elle ne sait que faire de tout ce mal-être, cette colère que Cynthia jette à la face du monde comme on lance un crachat. Salma l'a prévenue, elle peut être violente. Il lui est arrivé de tout casser dans le foyer, démolissant tables et fauteuils. Mieux vaut ne pas la contrarier. Solène n'est pas armée pour ça.

Pour autant, elle ne peut répondre à sa demande. Ce combat n'est pas le sien. Ce n'est pas de la lâcheté mais de la clairvoyance. Solène est neutre, et entend le rester. Elle sait quelle est sa place ici, elle commence juste à la trouver. Elle n'a pas l'intention de faire la révolution au Palais. Elle est une plume, pas un porte-voix. Chacun a ses limites, et les siennes sont là.

Elle tente d'expliquer à Cynthia qu'elle peut l'aider à rédiger un courrier à la direction, mais qu'elle ne prendra pas parti dans ce conflit. Le visage de Cynthia change d'expression. Sa bouche se tord dans un rictus où se mêlent colère et mépris.

Alors t'es comme eux, lui lance-t-elle. *T'es là mais tu sers à rien. Pourquoi tu viens ici ? Tu t'ennuies chez toi alors tu vas au spectacle ? C'est beau, le malheur des autres ? Ça te plaît ? Ça te rassure sur ta petite vie ? Ta petite vie de merde dans ton beau quartier ? Rédiger des lettres, tu crois que ça aide qui ? C'est pas ça dont on a besoin ! T'as aucune idée de ce qu'on vit ici ! Tu viens une fois par semaine, pour toi c'est juste un passe-temps, tiens, j'ai mon heure de précarité aujourd'hui ! Tu te donnes bonne conscience et après tu rentres chez toi, tu fermes ta porte et t'oublies ! Retourne dans tes beaux quartiers, et restes-y ! Tu ne sers à rien ! Personne n'a besoin de toi ici !*

Elle termine sa diatribe en lançant un coup dans le MacBook de Solène, qui va s'écraser par terre. Salma accourt dans le foyer, alertée par les cris. Elle se précipite mais il est trop tard. Le mal est fait. Cynthia quitte la salle en hurlant des insanités.

La directrice est descendue des étages, elle aussi. Elle constate, effarée, l'étendue des dégâts. *Encore Cynthia ?* demande-t-elle.

Oui, soupire Salma. *Encore Cynthia.*

Chapitre 17

La technologie dernier cri n'a pas résisté aux assauts de Cynthia. Le MacBook ne s'allume plus. Accablée, la directrice a promis à Solène que l'administration paierait pour les réparations. Solène a refusé, elle ne veut pas de l'argent du Palais. Elle connaît un informaticien qui s'en occupera. Un ordinateur abîmé, il y a plus grave que cela.

Ce soir, elle n'a pas faim. Elle n'a touché ni aux brochettes ni aux makis du restaurant japonais. Assise à ses côtés, Salma tente de la réconforter : elle n'est pas la première à subir la violence de Cynthia. Au Palais, nombre de résidentes en ont déjà fait les frais.

Son histoire, ici, tout le monde la connaît. Abandonnée à la naissance, Cynthia a grandi de familles d'accueil en foyers. Elle a poussé telle une herbe folle, sans amour, sans stabilité. Renvoyée de tous les établissements, elle a arrêté l'école à seize ans. À sa majorité, elle s'est retrouvée à la rue, sans emploi, comme la plupart des jeunes dans son cas. Elle est tombée sur les mauvaises personnes mais hélas, sur la bonne substance. Celle qui l'emmenait loin des méandres de son existence. Pour se la procurer, elle a fait toutes sortes de conneries. Celles que l'on imagine, et les autres aussi.

Et puis elle est tombée enceinte. Elle le voulait, ce bébé ; il n'était pas un accident. Cynthia n'a jamais eu de famille, elle n'a jamais été aimée. Elle avait besoin de s'arrimer à quelqu'un pour donner un sens à sa vie. Cet enfant, c'était sa chance. Un nouveau départ. Il allait la réparer, colmater ses fissures, sa béance.

Pour lui, elle a décidé de se sevrer.

Lorsqu'il est né, pourtant, elle s'est sentie démunie. Un sentiment d'illégitimité et d'impuissance l'a envahie. Comment être mère quand on n'a pas eu de parents ? Comment donner ce qu'on n'a pas reçu ? Il y avait cet amour immense, qui la dépassait, et cette angoisse aussi, celle de ne pas être à la hauteur. Les démons de Cynthia sont revenus tournoyer autour d'elle. Le père de l'enfant est parti. Elle a replongé.

Quand le juge lui a retiré la garde de son fils, elle s'est effondrée.

Aujourd'hui, elle ne touche plus à rien, jure qu'elle est *clean*. Son combat, c'est de récupérer son petit. Il a cinq ans, à présent. Il a été placé en foyer. Cynthia sait exactement ce que cela signifie. Elle ne veut pas de cette vie-là pour lui. Elle ne supporte plus de le voir une fois par mois, dans cet espace d'accueil aux couleurs acidulées, habillé de vêtements qu'elle n'a pas choisis, accompagné de gens qu'elle ne connaît pas. Ce n'est pas elle qui lui lit des histoires le soir, pas elle qui le réconforte la nuit lorsqu'il fait un cauchemar. Elle ne partage aucun des moments importants de sa vie. Le temps perdu ne se rattrapera pas : elle ne vivra jamais ses premiers pas, jamais l'entrée en maternelle, ni la première sortie au cinéma.

Quatre-vingt-quatre heures par an, elle a compté. Voilà tout ce qu'on lui accorde de son enfant. Le foyer d'accueil est en province, Cynthia doit économiser pour payer son trajet. Les moments passés avec lui, elle n'en profite même pas. Elle regarde les heures s'égrener, les yeux rivés sur l'horloge. Elle sait qu'à la fin de la journée, son fils repartira de son côté et elle du sien, en attendant le mois prochain.

Lorsqu'elle le quitte, elle se sent orpheline, abandonnée. Elle revit le drame de sa naissance, en inversé, comme un cauchemar revenant à l'infini. Son chagrin, nul ne peut l'apaiser.

Alors elle est en colère, Cynthia. Elle est en colère parce qu'elle n'a pas choisi cette vie, parce qu'elle rêvait d'autre chose pour son petit. Parce que l'histoire se répète, impitoyablement, et qu'elle est impuissante à en changer le cours. Elle est en colère parce que l'amour ne suffit pas toujours.

Elle en veut à la terre entière. Elle en veut au juge des enfants, aux assistantes sociales, aux familles d'accueil, aux employées du Palais, elle en veut aux Tatas, à la dame aux cabas, elle en veut même à celles qu'elle ne connaît pas. Certaines vivent ici avec leurs enfants – et cette proximité lui est insupportable. Elle ne veut plus croiser leurs poussettes, ni entendre leurs pleurs, la nuit. Ils lui rappellent trop que son fils dort loin d'ici.

Alors elle s'énerve et elle crie, comme un animal blessé, une louve à laquelle on a arraché son petit. Telle une bête enragée, elle ne laisse approcher personne. Elle mord tous ceux qui tentent de l'aider.

Au Palais, elle se sent prisonnière. Il lui arrive parfois de se frapper la tête contre les murs, des nuits entières. *Sa prison, ce n'est pas le foyer*, dit Salma. Ce que réclame Cynthia, à cor et à cri, ce n'est pas une autre chambre mais une autre vie. *Ce qui manque dans l'enfance vous manque pour l'éternité. C'est ainsi : qui n'a pas assez mangé à la table de son père ne sera jamais rassasié.*

Telle est Cynthia, éternelle affamée.

Solène regagne son appartement, accablée. Sa tête résonne de ces mots, durement lancés. *Rentre chez toi.* Elle commençait à prendre ses marques au Palais, à se sentir *utile* ; elle est fauchée par la violence de Cynthia.

Rentre chez toi, cela signifie : *tu n'es pas comme nous. Tu ne ressembles en rien aux femmes de cet endroit. La vie t'a épargnée, tu ne peux ni nous comprendre ni nous aider. Tu ne seras jamais l'une des nôtres, et ta bonne conscience, on s'en fout. Tu peux te la garder.*

Rentre chez toi, cela signifie : *tu n'as pas le droit d'être là.*

Ce que Cynthia interroge ainsi, de toute sa colère, de tout son mépris, c'est la légitimité de Solène. Ce regard de *ceux d'en haut* sur *ceux d'en bas*. Qui est-elle pour venir ici ? Pour porter leurs voix ? Pour entrer dans leur vie, et s'en aller, une heure plus tard, sa permanence achevée ?

Solène est ébranlée par ces attaques. Cynthia a raison sur un point, elle n'est pas venue ici pour aider ces femmes, mais pour se faire du bien. Le Palais comme thérapie – c'est de cela qu'il s'agit. Lorsqu'elle ira mieux, il lui suffira de refermer la porte du foyer et de retourner à ses activités. Cet endroit n'est qu'une parenthèse dans sa vie. Une parenthèse désenchantée.

Un cours de zumba, quelques lettres, et elle s'est crue acceptée. Elle a pensé que sa place était gagnée au Palais. *Trop facile*, répond Cynthia. *Rentre chez toi.*

Solène se sent amère, découragée, pitoyable. *Pauvre petite fille riche*, dit la chanson. Elle est venue soigner sa dépression auprès de plus malheureuses qu'elle. Qui croyait-elle aider ?

144

Pourtant, il y a plus que cela. Certes, elle a été poussée par le psychiatre, enrôlée presque malgré elle par Léonard. Certes, elle n'avait aucune envie de franchir les portes de ce foyer. Mais elle y trouve en vérité bien plus qu'elle n'est venue chercher. Il y a le *C'est bien* de Binta, il y a les yeux de Sumeya, il y a la femme aux deux euros, les tasses de thé et le cours de zumba. Ce que Solène a vécu, ce qu'elle a partagé durant ces moments-là, elle ne l'a pas rêvé. C'est un échange, une communion – c'est cela qu'elle a ressenti en pleurant dans les bras de Binta.

Depuis quelque temps, elle va mieux. Elle reprend possession de son corps, de son esprit, lentement. Elle est de moins en moins dépendante aux médicaments. Son psychiatre a réduit les doses du traitement. Il se dit confiant. *Du sens*, voilà ce que Solène trouve entre les murs du Palais. Elle se sent utile à la communauté.

Peu importe, alors, qu'elle soit légitime ou non, qu'elle vienne d'un beau quartier ou pas. Elle est là. C'est ce qui compte, après tout, être là. Malgré les déceptions, les différences. Malgré l'ordinateur saccagé et les jurons de Cynthia.

Écrivain public, c'est être écrivain *du public*, de *tous* les publics. Cynthia l'a poussée dans ses retranchements, elle a ébranlé ses certitudes, mais Solène tiendra bon. Elle ne cédera pas à la provocation, aux remises en question. Elle reviendra le jeudi suivant, et tous ceux qui suivront. Si elle n'a plus d'ordinateur, elle prendra une feuille de papier et un crayon. Ils seront ses seules armes, ses seuls alliés. Ils ne paient pas de mine mais ils sont puissants, elle le sait.

Ils ne changeront peut-être pas l'histoire du Palais, ni même la vie de ces femmes, mais ils apporteront leur modeste contribution, comme le colibri de la fable de Pierre Rabhi, que Salma lui a racontée. Lors d'un terrible incendie de forêt, les animaux assistaient impuissants à la catastrophe. Seul un petit colibri s'activait, remplissant son bec d'eau pour jeter des gouttes sur les flammes. Pauvre fou, lui dit le tatou, ce n'est pas avec ça que tu éteindras le feu. Je sais, répondit le colibri. Mais au moins, j'aurai fait ma part.

Solène est ainsi : un petit oiseau tombé du nid, qui tente d'éteindre un incendie. Son action est infime, dérisoire – ridicule, diraient certains.

Mais elle fait sa part.

Chapitre 18

Ce matin, Léonard a appelé pour prendre des nouvelles. Après l'*ouragan Cynthia*, Solène est retournée au foyer, comme un bon petit soldat repartant au front. Elle laisse désormais l'informatique à la maison, et se munit d'un simple bloc de papier et d'un crayon.

Elles sont de plus en plus nombreuses à solliciter ses services. Solène a dû étendre les horaires de sa permanence ; il n'est pas rare que celle-ci se prolonge tard dans la soirée. Elle rapporte souvent chez elle des lettres à terminer qu'elle aime relire à tête reposée, reprendre, peaufiner. Certaines idées lui viennent la nuit. Elle se lève tôt pour y travailler. Sur le papier, elle se découvre prolifique, et cela lui plaît. Elle retrouve ses mots, ses chers mots, qui lui ont tant manqué. Ces dernières années, elle les croyait partis, évanouis, perdus. Elle découvre qu'ils sont là, tout près. Ils ne l'ont pas abandonnée.

Au Palais, ses travaux sont très appréciés. Solène a l'art de formuler une demande, d'agrémenter un curriculum vitae. Il y a une part de création dans ses écrits, qu'elle assume volontiers. Ce n'est pas mentir, explique-t-elle aux résidentes : dans le monde du travail, il faut se montrer sous son meilleur jour. Chaque détail compte, un rien peut faire la différence. L'une d'elles avoue n'avoir pour expérience que la vente de chaussettes et de slips sur les marchés. Solène suggère la formulation suivante : *Parcours professionnel de vente dans le prêt-à-porter.* Elle lui explique comment se présenter durant un entretien. La jeune femme repart contente, son CV à la main. Elle décroche un job dans une boutique la semaine suivante – un mi-temps de remplacement, pas de quoi crier au CDI, mais c'est déjà ça. Une petite pierre sur un long chemin.

Solène a maintenant ses « clientes » régulières, qu'elle voit chaque jeudi. Et puis il y a les autres, les nouvelles, qui ont entendu parler d'elle et viennent la consulter. Bientôt, elle est obligée de s'organiser. En début de séance, elle distribue des Post-it de couleur sur lesquels elle note les numéros, par ordre d'arrivée. Certaines sont pressées, d'autres protestent, d'autres encore négocient, échangent leur ticket contre un service ou un tour de courses au supermarché. Cvetana arrive généralement après tout le monde. Elle ne fait pas la queue. Elle passe devant les autres avec son caddie en ignorant leurs protestations et vient s'enquérir de sa lettre à la reine : *Elizabeth a-t-elle écrit ?* Ce à quoi Solène répond invariablement : *Toujours pas*. Cvetana hausse les épaules, soupire d'un air déçu, et s'en va. Elle reviendra la prochaine fois.

Il en est ainsi chaque jeudi.

Solène passe ses après-midi à enchaîner les lettres, les conseils et les discussions en buvant du thé, en comptant les bonbons que Sumeya continue de partager. Solène ne les mange pas. En rentrant chez elle, elle les place dans le pot à confiture qui leur est réservé. Il s'est rempli. Elle aime le contempler, plein de friandises multicolores qui sont autant de petits trophées, de minuscules victoires sur la grisaille et la morosité.

Sumeya ne parle pas mais ses bonbons le font pour elle. Ils sont une langue universelle.

Solène s'est officiellement inscrite à la zumba et suit désormais les cours de Fabio avec les Tatas. Si elle n'a toujours pas le sens du rythme, elle fait d'indéniables progrès, vêtue d'un vieux collant et du tee-shirt de Binta – elle a voulu le lui rendre mais celle-ci a tenu à le lui offrir, en remerciement de la lettre. Il est dix fois trop grand mais Solène s'y sent bien, comme dans un vieux pull qu'on aime à retrouver. Les Tatas rient souvent de son manque de souplesse. *On dirait un manche à balai !* lui crie Binta. *C'est ton bassin, il est bloqué ! Tu n'es pas assez cambrée. Regarde, tout est dans les reins !* Un jour, les Tatas forment un cercle autour d'elle, et frappent dans leurs mains pour l'encourager. La chanson diffusée parle d'un morceau de soleil dans la poche, et c'est ce que Solène ressent, à cet instant, entourée de ces femmes aux corps souples et déliés. Un peu de lumière et de joie retrouvée.

À la fin du cours, parfois, Binta continue à danser. Seule, face aux miroirs, elle montre à Sumeya comment on danse dans leur pays, la Guinée. Il se dégage d'elle une étrange énergie, une force inhabituelle. Elle finit en nage, essoufflée. Et la petite fille applaudit.

Un jour, elles retourneront là-bas, promet-elle. Et Sumeya dansera aussi.

Solène s'est accoutumée à ces femmes, à leurs manières un peu brusques, à leurs silences, à leur façon de dire merci. Les mots, elles ne les ont pas toujours, mais il y a un regard, un sourire, une tasse de thé, un tee-shirt donné. Parfois il n'y a rien du tout, et c'est sans importance. De la gratitude, Solène n'en attend pas. Elle n'est pas venue pour ça. Léonard lui a confié qu'en dix ans de mission, il a recueilli trois *merci*. C'est peu au regard des centaines de lettres qu'il a rédigées. Qu'importe. Il se sent utile, et cela n'a pas de prix. Chaque courrier est important pour chaque personne qui vient le trouver. Comme cette femme qui, grâce à lui, a renoué avec sa mère biologique qu'elle recherchait depuis des années. Elles sont venues le voir ensemble pour le remercier. Léonard est encore ému quand il en parle. Elles ont économisé pour lui offrir une boîte de chocolats

– des chocolats bon marché, et pourtant les meilleurs qu'il ait jamais mangés.

Si Solène s'est habituée aux résidentes, la réciproque est aussi vraie. La plupart l'ont adoptée. La tricoteuse elle-même s'est mise à la saluer. Pas d'effusion bien sûr, mais un geste de la tête à son entrée, qui signifie *je sais que tu es là, je t'ai vue*. Elles n'ont jamais reparlé des chaussons pour bébé – de toute façon, Viviane ne parle pas, ou très peu. C'est une âme silencieuse. Dans une autre vie, elle a dû être religieuse. On dirait qu'elle s'est retirée du monde en s'installant ici. Rien ne vient la troubler, ni les cris de Cynthia, ni les danses des Tatas. Le Palais pourrait s'effondrer qu'elle n'en serait guère affectée. Elle continuerait à tricoter, près de sa plante, imperturbable et détachée.

Il n'en a pas toujours été ainsi. Il fut un temps où Viviane jouait un rôle dans le spectacle de la vie. Mariée, mère de deux enfants, elle menait une existence en apparence ordinaire, dans une banlieue plutôt huppée. Son époux était dentiste, elle tenait le secrétariat de son cabinet. Ses bleus, elle s'arrangeait pour les cacher du mieux qu'elle pouvait. Viviane est une rescapée, comme Cvetana. La guerre, elle l'a faite elle aussi – pas besoin d'aller en Serbie. La sienne a duré vingt ans, près d'ici, dans un joli pavillon entouré de rosiers. Son ennemi était bien habillé ; il avait les traits de son mari. Le champ de bataille, c'était son corps à elle, un corps battu, maltraité, frappé à longueur de journée. Des coups, Viviane en a pris. Des coups d'à peu près tout. Des coups de poing, des coups de pied, des coups de fer à repasser, des coups de chaussure, des coups de ceinture. Des coups de couteau, aussi, lorsqu'elle a voulu le quitter. Si les voisins n'étaient pas intervenus, son mari l'aurait tuée.

De ce jour funeste, Viviane a gardé un léger boitillement, et une cicatrice à la joue, façon Joker. Ça lui fait comme un sourire à l'envers.

Son mari a été arrêté et jugé, condamné à cinq ans de prison, dont un avec sursis.

Cinq ans pour la vie d'une femme, ce n'est pas cher payé, songe Solène. Tous les deux ou trois jours, une femme meurt sous les coups de son conjoint, dans ce pays qu'on dit civilisé. *Jusqu'à quand ?* Dans la nature, aucune autre espèce ne se livre à ce jeu de massacre. La maltraitance des femelles n'existe pas. Pourquoi, chez les humains, ce besoin de détruire, de briser ? Il y a les enfants, aussi. D'eux, on ne parle pas, ou si peu. Victimes collatérales des violences conjugales, ils sont des dizaines à mourir chaque année en même temps que leur mère, assassinés par leur père.

Durant la journée, les mains de Viviane sont occupées et lui évitent de penser. Mais la nuit, les démons ressurgissent. Viviane rêve qu'il revient la chercher. Elle se réveille en nage, tremblante, terrorisée.

Le drame est arrivé, il y a quelques années. Ici même, au Palais. Une résidente a été rattrapée par son ex-mari. Malgré les portes d'entrée habituellement fermées aux inconnus, il a réussi à pénétrer dans le hall, armé d'un fusil. Il est monté dans les étages, menaçant les résidentes et le personnel terrifiés. Il a fini par retrouver son ex-épouse, réfugiée dans le studio d'une amie. Il l'a mise en joue et l'a abattue à bout portant. L'événement a fait la une des journaux locaux.

Trois jours plus tard, une autre victime a succombé, ailleurs dans le pays. C'est ainsi toutes les semaines, tous les mois, toute l'année.

Viviane n'a dit à personne qu'elle résidait ici. En partant, elle a tout laissé derrière elle, sa vie, sa maison, ses amis. Ses enfants sont grands à présent ; elle ne les voit que rarement. Elle n'a pas osé leur avouer qu'elle vivait en foyer. Elle ne veut pas leur faire honte. Elle préfère rester en retrait. Elle leur envoie régulièrement des vêtements qu'elle a tricotés, c'est sa façon à elle de penser à eux. De leur dire *Je vous aime. Je ne vous oublie pas.*

Elle a quitté un élégant pavillon de banlieue pour une chambre de 12 m². Peu importe. Au moins, elle y est en sécurité. Viviane ne peut guère prétendre à mieux : elle a travaillé toute sa vie sans être déclarée ni payée. Cette réalité porte un nom, celui de « conjointe collaboratrice ». Une belle arnaque, dans les faits. Viviane n'a droit à rien, ni chômage, ni retraite, comme si elle n'avait jamais travaillé. Vingt ans de labeur effacés.

Elle s'est mise à la recherche d'un emploi mais à cinquante-sept ans, inutile de rêver. Alors Viviane tricote, à longueur de journée. De sa carrière de secrétaire, elle a gardé la rigueur et les horaires – elle vend ses travaux dans la rue de 10 heures à 18 heures en semaine, et jusqu'à 19 heures le samedi. Elle ne travaille pas le dimanche ni les jours fériés. Le matin, elle se prépare, comme au temps du cabinet. Elle est toujours impeccable, tirée à quatre épingles. Elle n'a jamais mendié, cela ne lui ressemble pas. Elle ne fait pas l'aumône, elle vend ce qu'elle a tricoté.

Solène la voit régulièrement dans la rue, assise par terre, transie de froid. *Cette femme discrète pourrait être ma mère*, songe-t-elle. Elle se prend à imaginer quelle aurait été sa vie auprès d'un autre mari. Un mauvais choix, cela arrive. Personne n'est à l'abri. Un choix que l'on passe sa vie à expier. Nul ne mérite de vivre ainsi.

Au Palais, Viviane n'a pas vraiment tissé de liens avec ses corésidentes. Elle semble néanmoins apprécier leur compagnie. La petite Sumeya va parfois

154

s'asseoir à ses côtés, près de la plante, dans le grand foyer. Elle aime regarder les aiguilles danser entre ses doigts. Viviane lui donne des pompons, des vêtements pour ses poupées. L'autre jour, elle lui a tendu un tout petit cardigan et un minuscule bonnet. Sumeya les a pris, silencieusement. Elles n'ont pas besoin de parler, pas besoin de mots pour communiquer. En ce moment, Viviane lui tricote un pull ; Sumeya a choisi elle-même les couleurs parmi les pelotes de son panier. Du rouge, du jaune et du vert, pour tromper le gris de l'hiver.

Ainsi va la vie au Palais, entre les jurons de Cynthia, les tricots de Viviane, les tasses de thé des Tatas. Elle coule comme un fleuve intranquille, tumultueux, bouillonnant. Ici tout est fragile. L'équilibre est précaire, il ne tient qu'à un fil.

Solène ne sait jamais ce qui l'attend, ni ce qu'elle va trouver lorsqu'elle ouvre la porte du foyer. Chaque jeudi lui prodigue son lot de surprises. Chaque permanence est riche en rebondissements. Chaque rencontre est un événement.

Chapitre 19

Paris, 1925

Comment trouver l'argent ?

Dans le salon de leur appartement, les Peyron tiennent conseil. Albin fait les cent pas. À ses côtés, Blanche paraît étonnamment calme, déterminée. Tel un chef de guerre, elle dresse le plan de bataille de son projet d'acquisition du Palais. Dans un premier temps, il faut réunir les 3,5 millions de francs-or nécessaires à l'achat du bâtiment. Ce coût ne tient pas compte des travaux à effectuer. Il en faudra le double pour couvrir tous les frais, le notaire, la réfection intérieure des chambres, leur ameublement, l'installation des services et des dépendances. Albin paraît soucieux : l'Armée ne peut avancer cette somme, elle a tout juste de quoi assumer son fonctionnement régulier. Il y a le salaire des officiers à payer, les loyers des salles, les retraites des vétérans, les indemnités de voyage, le coût de l'École militaire… L'Armée

156

en France n'a pas de fonds permanent et le Quartier général international de Londres ne leur donne pas grand-chose. Les comptes sont en berne, la situation financière préoccupante.

Elle l'a toujours été, et après ? répond Blanche. Elle lui rappelle les orties qu'elle faisait bouillir pour le dîner faute de mieux, et les trois chaises que l'Armée leur avait fournies pour meubler leur premier appartement : deux d'entre elles avaient un pied cassé. *On s'en est toujours sortis*, reprend-elle. *Les millions, nous les trouverons.* Impossible n'est pas Peyron !

D'un pas sûr, Blanche se dirige vers la chambre, ouvre l'armoire et saisit la valise d'Albin. La pauvre malle en a vu, du pays. Les Peyron ont passé plus de temps sur les routes qu'ils ne sauraient le dire. Toute une vie de tournées, en province, à l'étranger. Albin n'est plus à une traversée près.

Va à Londres, lui dit-elle, *et parle au Général.*

Bramwell Booth, le fils aîné de William, a pris la tête de l'Armée à la mort de son père, en 1912. Bramwell est un homme sage et avisé, qui a toujours porté une attention bienveillante aux projets que les Peyron soumettent à son approbation.

Albin revient de Londres, un chèque de mille livres sterling en poche. Le chef de l'Armée ne peut guère accorder plus à leur projet. Mais il vient d'obtenir un prêt d'une société d'assurance sur la vie du montant nécessaire à l'acquisition de l'hôtel !

Le samedi 9 janvier 1926, Albin se porte officiellement acquéreur de l'immeuble du 94, rue de Charonne, pour l'Armée du Salut. Dans cette opération, Blanche n'apparaît pas. Les femmes n'ayant pas le droit de posséder de compte bancaire, Albin gère seul la transaction.

Le bâtiment acquis, il faut à présent réunir les fonds nécessaires à sa rénovation. Blanche suggère de lancer une gigantesque souscription et de constituer un comité d'honneur. Elle veut alerter les médias, les journaux, contacter les plus hautes personnalités de la politique, de la finance, de la magistrature et de l'administration. Solliciter une entrevue avec le président de la République, Gaston Doumergue, qu'Albin a rencontré il y a quelques mois lors de la fondation du Palais du Peuple, pour le prier de leur accorder son haut patronage.

C'est une opération sans précédent que les Peyron déploient : ils multiplient les entretiens, les rendez-vous, rédigent des articles, des brochures, des tracts. Des plaquettes illustrées sont imprimées et distribuées, des officiers et officières envoyés en campagne, de porte en porte, d'étage en étage, de ville en village. Blanche exhorte ses troupes : *Donnez et faites donner, parlez, écrivez, collectez !* Elle n'a pas sa pareille pour haranguer ses soldats et mobiliser la foule. *Au Moyen Âge,* dit-elle, *ce furent les corporations d'humbles ouvriers qui ont élevé les cathédrales.*

Envoyez votre obole, si petite soit-elle. Les petits ruis-
seaux font les grandes rivières ! Si vous ne pouvez agir
vous-mêmes, aidez-nous à le faire, aidez-nous vite,
généreusement, joyeusement !

Ses qualités d'oratrice sont largement mises à contribution. Malgré sa mauvaise santé et les avertissements répétés du docteur Hervier, Blanche enchaîne les conférences et les discours, pour défendre ce projet qu'elle qualifie d'*urgent et magnifique*. Elle affronte les publics les plus populaires comme les plus distingués. Elle s'avance au bord de l'estrade, lève la main pour le salut évangélique, et le silence se fait, au point qu'on entend les mouches voler. *Paris manque-t-il de cœur ?* lance-t-elle en guise d'introduction. *La vieille France a connu la famine de nourriture, elle connaît maintenant la famine de logis. Des gens meurent de ne savoir où dormir.* Elle rappelle ce chiffre terrible – cinq mille êtres humains sans toit dans la seule ville de Paris. Elle cite William Booth, le père de l'Armée : *Je ne peux voir une souffrance sans me poser deux questions : quelle en est la cause, et que puis-je faire pour y remédier ?* Elle sensibilise l'auditoire au funeste sort des femmes isolées. Elle s'adresse aux épouses, mères, filles, qui veulent que leurs sœurs dorment à l'abri. Elle s'adresse aux hommes, à leur honneur, à leur reconnaissance envers celles qui leur ont donné la vie.

À son écoute, tous sont captivés. Il n'est pas rare que les paroles de Blanche soient ovationnées. Elle se montre loquace, inventive, fertile en arguments et citations. Elle convoque tour à tour Ruth : *Ma fille, je voudrais assurer ton repos*, et Ézéchiel : *Je chercherai celle qui était perdue, je ramènerai l'égarée, je panserai la blessée et je fortifierai la malade.* Elle cite la Bible aussi bien que Victor Hugo. Ce droit de prêcher qu'elle a réclamé et que l'Armée a accordé aux femmes, elle le rend au centuple ici, au gré de ces discours qu'elle prononce sans répit.

Blanche est d'une redoutable efficacité. Un atout majeur pour l'Armée. Elle tend la main et ne la referme que lorsqu'on lui a donné ce qu'elle attendait. Dans son bureau du quartier général de la rue de Rome, elle écrit et dicte des centaines de lettres. Elle ne consent à s'arrêter que lorsque la toux vient la terrasser ou qu'Albin la supplie de rentrer.

Le comité d'honneur est rapidement constitué. Il réunit le président du Conseil, le ministre des Affaires étrangères, le ministre des Finances, ceux de l'Intérieur et du Travail, le garde des Sceaux, le Préfet de police, le directeur de l'Assistance publique, le régent de la Banque de France, ainsi que sénateurs, députés, maires, ambassadeurs, doyens de la Faculté, rédacteurs en chef de journaux, membres de l'Académie française et de celle de médecine, directeurs de banque et autres illustres personnalités. Albin ressort triomphant de son entrevue avec le président de la République : Gaston Doumergue accepte le haut patronage du comité ! En outre, il leur fait remettre un don prélevé sur ses deniers personnels.

Albin redouble d'énergie. Poursuivant sa quête, il va frapper à la porte des banquiers et des industriels les plus puissants du pays. Les frères Rothschild, les frères Lazard, les fils des frères Peugeot semblent comprendre l'urgence d'une telle œuvre, et concèdent de substantielles dotations.

Les souscriptions commencent à affluer. Il y a celles des Fondateurs (qui donnent plus de 10 000 francs), celles des Bienfaiteurs (plus de 5 000 francs), et celles des Donateurs (plus de 1 000 francs). Les contributions les plus infimes sont reçues avec reconnaissance. Les bijoux et objets d'art sont également acceptés, et vendus au profit du Palais. Toutes les classes de la société participent à ce vaste mouvement de solidarité. Blanche voit une danseuse du Moulin-Rouge débarquer dans son bureau et lui tendre un collier qu'elle vient offrir à la cause.

Des listes de souscription sont bientôt publiées dans le journal *En Avant*. En guise de remerciement, les bienfaiteurs se voient offrir la possibilité d'inscrire leur nom ou une citation de leur choix sur les portes des chambres du futur Palais.

Cet élan d'une ampleur sans précédent est relayé par les journalistes. Des articles paraissent dans *Le Temps*, *L'Œuvre*, *Le Matin*, *Les Dernières*

Nouvelles de Strasbourg, *Le Siècle*, *Le Progrès civique* ou *L'Alsace française*. Les plaquettes illustrées de l'Armée du Salut sont imprimées en grand nombre et largement reproduites.

Le comité d'honneur multiplie les réunions dans de hauts lieux parisiens. Le 17 février 1926, dans les somptueux salons de l'hôtel Continental. Le 28 mars, dans ceux du ministère de l'Intérieur, place Beauvau. Blanche y prend à chaque fois la parole avec plus de verve et d'énergie. Devant des centaines de personnes, elle plaide la cause de la femme démunie. Elle évoque les perspectives de relèvement que permettrait l'octroi d'une simple chambre au Palais.

Il y en a 743.

743 chambres pour 743 vies à sauver.

Je veux poser à chacun d'entre vous la question, scande-t-elle, *accepterons-nous pour d'autres des conditions de vie que nous refuserions pour nous-mêmes ? Verrons-nous la mère abandonnée lutter seule, vendre son corps pour subvenir aux besoins de son enfant, sans lui prendre la main ?*

Albin assiste, ému et fier, à ses discours. Blanche est habitée, tour à tour forte et douce, quelquefois cinglante comme un fouet. Son pouvoir d'éloquence est immense. À l'écouter ainsi, il se dit qu'elle aurait pu être avocate, dans une autre vie. Elle en a toutes les qualités.

Elle ne craint pas de viser toujours plus haut. *Il lui faut la lune avec les étoiles !* dit-on d'elle dans les rangs de l'Armée. Celle qui a arpenté sans relâche les bas-fonds se voit à présent reçue dans les plus prestigieuses réceptions. Blanche n'en tire aucune vanité. Elle n'a que faire du faste des cérémonies auxquelles on la convie. Seule compte la cause qu'elle est venue plaider.

L'opinion publique est en train de changer. Le 24 avril, dans le grand amphithéâtre de la Sorbonne, devant 2 500 personnes, le ministre du Travail et de l'Hygiène salue solennellement *après trop d'années d'oubli, d'ingratitude et de méconnaissance, au nom de la nation, les précurseurs de cette œuvre dont les armes fraternelles constituent ce que sera la société future et s'efforcent de la réaliser.* Ces paroles marquent un tournant dans l'histoire de l'Armée. Plus qu'un baume, elles sont une réhabilitation, une reconnaissance officielle de son action. *À l'Internationale de la misère, vous entendez opposer l'Internationale du cœur. On reconnaît l'arbre à ses fruits. Or ceux-ci sont excellents. Ceux qui les produisent ne peuvent être mauvais. Ils méritent plus qu'un intérêt de curiosité, mais une aide effective*, conclut-il. Blanche se souvient avec émotion des moqueries, des quolibets et des insultes qui pleuvaient sur les salutistes, à leurs débuts. Après avoir reçu des briques, des œufs pourris et des rats crevés, ils sont aujourd'hui honorés et cités en exemple. Loin de la griser, cette

163

mise en lumière lui rappelle l'urgence et la nécessité de poursuivre leurs efforts.

Le rythme des souscriptions s'intensifie. Un premier million est bientôt collecté. Blanche s'en réjouit mais garde la tête froide. Des sommes considérables doivent encore être trouvées.

L'épopée du Palais ne fait que commencer.

Chapitre 20

Paris, aujourd'hui

Certaines requêtes la déconcertent, elle doit l'avouer.

Un jeudi après-midi, alors que Solène s'installe à sa table habituelle dans le grand foyer, elle reçoit la visite d'une femme qui vient la trouver pour la première fois. Elles se connaissent de vue pour se croiser au cours de zumba. La silhouette gracieuse, la taille fine, Iris a de grands cils, et des traits délicats. D'une voix feutrée, elle confie que la nature de sa demande est singulière. Elle se sent gênée de l'évoquer ici et prie Solène de l'accompagner dans sa chambre au cinquième étage. Elles y seront plus au calme pour parler. Solène est décontenancée. Elle ne s'est jamais aventurée dans les parties privées du Palais. Entrer dans le studio d'une résidente, c'est franchir une barrière, pénétrer son intimité. L'idée la met mal à l'aise. Elle explique à Iris qu'elle ne peut la suivre, que sa permanence se tient toujours ici. Elle l'assure néanmoins de sa discrétion. Rien de ce qu'elle lui confiera ne sera divulgué, elle le lui promet.

Iris paraît déçue. D'une voix douce, elle répond qu'elle comprend, avant de s'éloigner tristement. Solène se lève pour la rattraper. Elle ne voulait pas la faire fuir. Après tout, il n'y a que peu de monde aujourd'hui… Elle accepte de monter, à titre exceptionnel, mais elle ne restera pas longtemps. Elle ne tient pas à créer un précédent. Et puis les résidentes ont l'habitude de la trouver en bas, il ne faudrait pas qu'elles la croient absente, ou déjà repartie.

Iris l'entraîne en direction du grand escalier – elle ne prend pas les ascenseurs, précise-t-elle, elle est claustrophobe. Cinq étages à monter, cela ne vaut pas un cours de zumba mais c'est au moins quelques calories dépensées. Un peu d'exercice ne fait pas de mal, ajoute-t-elle. Ce n'est pas parce qu'on vit en foyer qu'on ne doit pas faire attention à soi.

Elles parviennent dans un interminable couloir qui dessert les chambres du cinquième. Solène observe les plaques apposées aux portes sur lesquelles figurent des noms ou des citations. Elles s'arrêtent devant l'une d'elles, où cet adage est gravé : *On n'est jamais si malheureux qu'on croit, ni si heureux qu'on l'avait espéré.* Il est signé François de La Rochefoucauld. Drôle de choix pour cet endroit, songe Solène.

Iris sort une clé et ouvre la porte, découvrant une petite pièce soigneusement aménagée. Solène observe le lit à une place, l'unique fenêtre donnant sur la cour intérieure, la minuscule kitchenette. Il y a aussi une salle de bains et des toilettes, précise Iris. Toute une vie dans quelques mètres carrés. Elle confie que l'étroitesse du studio ne la dérange pas. Et cite Virginia Woolf : *C'est la première fois que j'ai une chambre à moi.* Solène paraît surprise de cette référence littéraire. Iris sourit, amusée. *Ce n'est pas parce qu'on vit au Palais qu'on n'est pas cultivée.*

Un point. Touché.

Elle invite Solène à prendre l'unique chaise, et s'assoit sur le lit. Elle marque un temps avant de se lancer. Elle aurait besoin de conseils au sujet d'un courrier très personnel. Plus exactement d'une déclaration.

Une déclaration d'amour, à quelqu'un qui travaille au Palais.

Solène ne dit rien. Elle est intriguée mais ne le montre pas. Elle laisse Iris continuer.

Avant d'aller plus loin, celle-ci voudrait lui conter son histoire. Iris n'est pas son prénom de naissance. Dans une autre vie, elle s'est appelée Luis. Deux lettres seulement, une toute petite modification de son état civil. Un très grand pas pour elle. Une honte pour ses parents. Né d'un père mexicain et d'une mère philippine – *je suis un curieux mélange*, avoue-t-elle non sans humour –, Luis est un enfant incompris, un adolescent tourmenté. Rejeté par sa famille en raison de sa différence, il décide malgré tout

167

d'aller au bout de son changement d'identité. Son parcours est jalonné de séjours en foyer d'urgence, de passages dans la rue, de petits boulots mal payés, de tentatives de suicide, dont attestent les cicatrices sur ses poignets. Iris connaît la maltraitance et la prostitution. Sur l'échelle de la désespérance, elle descend tout en bas. Lorsqu'on touche le fond, dit-elle, on ne peut que remonter.

Sa rencontre avec une assistante sociale va tout changer.

À trente ans, Iris s'est enfin trouvée. Ici, elle se reconstruit. Elle commence seulement à penser qu'elle a peut-être un avenir, que la vie lui réserve autre chose que la souffrance et le rejet.

Pourtant, elle a encore du mal à se faire accepter. Elle se heurte à l'hostilité de certaines résidentes, qui considèrent qu'elle n'a pas sa place au Palais. Elle évoque le mépris dont elle fait trop souvent l'objet. On pourrait croire que les accidents de la vie ont rendu les femmes d'ici plus tolérantes, plus ouvertes à la différence. Il n'en est rien. Certaines sont racistes – Iris n'hésite pas à l'affirmer. Elles en veulent aux réfugiées d'être accueillies au même titre qu'elles, estimant qu'elles devraient avoir plus de droits. On entend ce genre de discours, ici aussi, déplore-t-elle. On sait qui vote pour qui au Palais.

L'élu de son cœur n'est autre que Fabio, le jeune professeur de zumba. Lorsque Iris l'a vu pour la première fois, elle a manqué défaillir. Elle ignore ce qui la bouleverse chez lui. Peut-être ses racines sud-américaines, sa façon inimitable de bouger son bassin. À moins que ce ne soit son sens du rythme ou son accent brésilien… La seule vue du jeune homme en train de danser lui donne des frissons. *Un ange dans un corps de démon*, sourit-elle. Iris n'est pas sportive, elle ne l'a jamais été, elle s'est inscrite au cours de zumba dans le seul but de le côtoyer. Elle n'a jamais raté une séance. Elle passe la semaine à attendre ce moment chéri. Elle y pense jour et nuit.

Voilà presque un an qu'elle aime Fabio en secret. Ici, elle n'a personne à qui se confier, excepté Salma. Celle-ci lui a récemment appris que Fabio était célibataire – Salma sait tout, elle recueille les confidences de chacun au Palais. Iris a pris la décision de se déclarer. L'affaire est délicate, elle ne veut pas effrayer Fabio. Elle est consciente que ce qu'elle nomme pudiquement sa *différence* sera peut-être un frein à leur histoire, qu'importe. *On mesure les grands amours et les grands projets à l'aune des risques que l'on prend pour eux.* La phrase n'est pas d'elle mais du dalaï-lama, elle l'a notée dans un carnet.

Iris est d'un tempérament réservé. Elle n'ose pas aborder le jeune professeur pour lui proposer un verre ou un dîner. Alors elle a écrit un poème, dans la solitude de ses nuits. Elle a besoin de Solène pour le relire et lui donner son avis. Pour corriger les fautes, aussi. Elle n'a jamais été très douée en orthographe, encore moins en français. Ce n'est pas sa langue maternelle mais elle l'aime plus que la sienne. Elle tient à la respecter.

Un poème, elle est consciente que cela peut paraître désuet. À l'heure des réseaux sociaux et des portables, on envoie plutôt des textos, voire des *sextos*. Internet et les sites de rencontre ont rendu les relations amoureuses plus immédiates et directes. Mais Iris est une romantique. C'est ainsi : on ne se refait pas…

À ces mots, elle sourit avec humour. Solène apprécie son sens de l'autodérision. Iris a de l'esprit. Elle est fine et cultivée. En d'autres circonstances, elles auraient pu devenir amies.

Autour d'un verre de jus de fruits, Iris raconte à Solène qu'au pays de son père, le Mexique, de nombreux écrivains publics font commerce de leur activité. Sur la Plaza Santo Domingo, la concurrence est rude. Pour avoir son emplacement, il faut passer des tests d'orthographe et de grammaire. Chaque écrivain a sa spécialité. Son oncle y tenait jadis une petite échoppe dédiée aux courriers intimes. Un jour, profitant de son absence exceptionnelle, ses congénères avaient répandu la rumeur qu'il était décédé, afin de récupérer sa clientèle à leur compte. Lorsqu'il était finalement reparu en fin de journée, une dame âgée s'était mise à hurler, persuadée de croiser là son fantôme. Il aimait plus que tout raconter cette histoire. Il en connaissait beaucoup d'autres, mais celle-ci était sa préférée.

Iris s'interrompt – elle est bavarde, elle pourrait passer des heures à discuter lorsqu'elle est en bonne compagnie. Elle sait que le temps de Solène est compté. Du tiroir du petit bureau qui meuble le studio, elle sort le poème. Elle hésite à se lancer. C'est intimidant, avoue-t-elle. Il faut du courage pour oser dévoiler ses écrits, Solène le sait. Elle repense à ses cahiers d'adolescente, qu'elle avait confiés à son professeur de français, au lycée. Il lui avait fallu des mois pour franchir ce pas. Déplier une feuille de papier est parfois un acte de bravoure, voilà ce qu'elle se dit, tandis qu'Iris commence à réciter sa poésie.

Solène l'écoute avec attention, touchée. Les mots d'Iris sont maladroits, naïfs, mal agencés, indisciplinés et brouillons, mais ils sont vrais. Les rimes sont faibles, les pieds des vers boiteux, pourtant le poème tient debout. Solène est surprise par l'émotion qui l'envahit. D'aussi loin qu'elle s'en souvienne, elle n'a jamais reçu une telle déclaration. Personne n'a jamais pris le temps de lui écrire un poème, de lui avouer ainsi ses sentiments.

Elle aurait aimé avoir le cran d'en faire autant. Lorsque Jérémy l'a quittée, les mots l'ont cruellement désertée. Il aurait peut-être suffi de quelques rimes, d'un peu de hardiesse pour tout changer… D'un peu de poésie, qui sait ?

Iris manque de syntaxe et de vocabulaire, elle manque d'à peu près tout mais nullement de passion. À l'écoute de ses vers, Solène a des frissons. Elle songe à Cyrano, recueillant les confidences de Christian brûlant d'amour pour Roxane. Au Palais, on dit que le véritable Cyrano de Bergerac est enterré ici, quelque part sous la bibliothèque, et non à Sannois, comme le prétendent les biographes. Il aurait trouvé refuge dans le couvent jadis établi sur ce terrain, auprès de sa sœur religieuse, et serait mort dans ses bras. Son âme est peut-être encore un peu là, errant entre ces murs. Un peu dans les mots d'Iris aujourd'hui, entre les lignes de sa poésie.

Le *C'est bien* de Binta, Solène se l'approprie. Elle rassure Iris. Le poème est parfait, il n'y a rien à changer. Elle corrige quelques fautes, arrange deux ou trois tournures, et le tour est joué. Il ne reste plus qu'à le remettre à l'intéressé. Iris est décidée à oser, au prochain cours de zumba…

Tandis qu'elle regagne le foyer par le grand escalier, Solène se prend à imaginer la réaction de Fabio à la lecture du poème. Elle espère qu'il en sera troublé, comme elle l'a été. Elle prie pour que les mots d'Iris soient le début d'une histoire. Elle se sent émue à cette pensée, comme si elle en était l'instigatrice, ou du moins la complice. Telle la Cyrano du Palais.

Pour un peu, les mots d'Iris lui donneraient envie de tomber amoureuse. Rien de tel que la poésie pour adoucir la vie. Adolescente, elle en lisait beaucoup, empruntait des recueils à la bibliothèque. La musique des mots l'envoûtait, l'entraînant dans des voyages secrets qu'elle savourait seule, comme autant de plaisirs inavoués. Et puis la vie d'adulte était venue, balayant les poèmes, les anaphores et les allégories. Il n'est peut-être pas trop tard pour l'amour, se dit-elle, ni pour la poésie.

Pas trop tard pour moi.

Et Solène repart dans la vie, dans le tumulte du foyer, avec un peu de rose aux joues, un peu de rouge au cœur. Un brin d'espoir et de bonheur.

Chapitre 21

Ce matin, Solène a attrapé le pull en cachemire de Jérémy dans la penderie et l'a mis au fond d'un sac. Le moment est venu de tirer un trait. Elle ne peut envisager l'avenir en continuant à regarder le passé. Elle va le donner à Stéphanie, l'assistante sociale, pour le vestiaire solidaire qu'elle vient de créer au sous-sol du Palais.

À observer son dressing et ses tailleurs impeccablement rangés, Solène se dit qu'elle ne se reconnaît plus dans ces tenues qu'elle portait au cabinet. Ce n'est plus elle. Elle a subitement envie de faire le vide. Les résidentes manquent de tout, elles n'ont pas les moyens de renouveler leur garde-robe. Elles seront sûrement contentes de trouver une veste ou un chemisier pour se rendre à un entretien. Les vêtements de Solène ne sont pas abîmés, elle en a pris soin, certains sont presque neufs.

Tout donner, cela lui fait du bien. Elle se sent plus légère ainsi. Adieu le passé. Et adieu Jérémy.

Elle va aussi se séparer de ses livres, au profit de la bibliothèque du Palais. Ils seront plus utiles là-bas que dans les cartons de la cave. Elle descend en expédition au sous-sol et se retrouve projetée dans le passé. Les voilà, les romans chéris de son adolescence. Ils l'ont suivie lors de ses déménagements mais Solène n'a pas pris le temps de les déballer. Ils sont intacts, poussiéreux mais entiers. *La Traversée des apparences, Mrs. Dalloway* – Virginia Woolf était son auteure préférée. Il y a aussi *Une chambre à soi*. Solène le feuillette, en parcourt des extraits. Elle l'avait lu à l'âge de dix-sept ans ; l'essai de Woolf l'avait marquée. Pour écrire, explique Virginia, une femme a besoin d'un peu d'espace, d'un peu d'argent. Et de temps.

Solène referme l'ouvrage, frappée par cette évidence. Elle a les trois.

Pourquoi, alors, n'écrit-elle pas ?

Iris au milieu de sa vie tourmentée, Iris, dans son studio exigu du Palais, Iris, privée de tout, a trouvé en elle la force de se lancer. La misère n'a pas empêché le jaillissement de la poésie. Elle a descendu le grand escalier du foyer, a marché jusqu'à la papeterie pour acheter un carnet et s'est mise à l'œuvre, sans autre forme de procès. Elle a aussi jeté les bases d'un premier brouillon de roman sur sa vie, a-t-elle confié à Solène. Mais il est encore trop tôt pour le lui montrer.

Solène songe aux poèmes qu'elle aimait composer. Ils se sont perdus dans l'errance de ses années au

175

cabinet. Ses cahiers doivent se trouver au fond d'un placard, dans sa chambre d'enfant, chez ses parents. Ils y dorment depuis plus de vingt ans.

Elle s'était promis d'écrire un jour un roman. En serait-elle capable ? Le projet la séduit autant qu'il l'effraie. Elle craint de relire ses textes et de se rendre compte en les parcourant qu'ils sont insignifiants. Quoi de plus cruel que de découvrir après toutes ces années qu'on n'a pas de talent ? En devenant avocate, Solène est restée dans le fantasme, dans le rêve empêché. Celui qui laisse le bénéfice du doute. Celui qui permet d'explorer le chemin des possibles. Se confronter à la réalité est une entreprise risquée. Il faut être à la hauteur de ses ambitions, et celles-ci sont toujours élevées.

Elle a honte, soudain, de se sentir si lâche. Iris, qui n'a pas reçu le dixième de son éducation, qui maîtrise à peine les rudiments du français, n'a pas eu peur de se jeter à l'eau. Elle n'a pas craint d'affronter le regard de Fabio, ni le sien. Elle est plus courageuse que toutes les Solène réunies, alors qu'elle-même tremble devant un vieux rêve oublié.

Elle n'a plus le choix, maintenant. Elle est allée trop loin pour renoncer. Sans le savoir, les résidentes du Palais l'ont poussée dans ses retranchements. Binta, Iris et les autres l'ont fait renouer avec les mots. Elle les a retrouvés, elle ne peut pas les trahir à nouveau. Il faut aller au bout de ce chemin commencé il y a plus de vingt ans. C'est peut-être cela, le sens de sa thérapie : reprendre le cours de sa vie, là où elle l'a laissée. Cela demande du courage. Mais Solène en a, aujourd'hui.

Sans attendre, elle compose le numéro de ses parents et leur annonce qu'elle viendra déjeuner le dimanche suivant.

Cela fait longtemps qu'elle ne leur a pas rendu visite. Sa sœur est là aussi, accompagnée de ses enfants et de son mari. Tous sont heureux de constater que Solène va mieux. Elle est détendue, souriante. Elle dit se sevrer progressivement des médicaments. Lorsque son père lui demande quand elle compte reprendre du service au cabinet, elle reste évasive. Elle a d'autres projets. La conversation dévie vers les prouesses du petit dernier de sa sœur. Solène en profite pour s'éclipser et aller s'enfermer dans son ancienne chambre. Là, sous des monticules de vêtements aux couleurs démodées, de vieux agendas que l'on conserve sans savoir pourquoi, de vinyles, de cassettes VHS empruntées et jamais rendues, de boîtes à chaussures remplies de courrier et de tickets de cinéma – ah, cette habitude de ne rien jeter, comme si l'on conservait par le truchement de souvenirs futiles un peu de sa jeunesse envolée –, elle finit par retrouver ses cahiers de poésie, au fond d'un placard, bien cachés. Elle attend d'être rentrée à Paris pour s'y plonger.

Elle passe toute une nuit à les lire, ne les refermant qu'au petit matin.

Il faut être honnête, certains passages témoignent d'une indicible naïveté. Il y a des tournures maladroites, ampoulées, des phrases entières à couper. Mais l'ensemble n'est pas dénué d'intérêt, lui semble-t-il. Il y a là quelque chose à creuser, l'ébauche d'un style – elle peut se tromper, elle veut rester prudente, avec les mots, on ne sait jamais. Elle est émue de se retrouver, intacte, entre ces lignes. La voilà, tout entière, au balbutiement de sa vie, pas encore abîmée, limitée.

Alors lui revient subitement l'envie. L'envie de se lancer dans un roman, comme elle se l'était promis. L'envie d'y croire. De penser que la vie est devant, toujours devant. Qu'il suffit d'un stylo pour tout changer. D'un peu de poésie pour se réinventer.

Comme Iris, elle descend à la papeterie et achète un nouveau cahier pour se mettre au travail. Les mots l'ont attendue trop longtemps.
Il lui faut écrire, à présent.

Chapitre 22

C'est là. C'est invisible mais c'est là. Tel un cordon de sécurité, un périmètre vide, un *no man's land* que personne ne vient outrepasser, comme si une barrière en interdisait l'accès.

Solène observe les badauds devant la boulangerie, et leurs efforts pour contourner la jeune sans-abri. La plupart ne la regardent pas. Ils se contentent de l'éviter, tel un obstacle ou un objet. Rares sont ceux qui donnent un peu de monnaie. Encore plus rares ceux qui prennent le temps de lui sourire ou de lui parler.

Solène n'a pas encore osé engager la conversation. Elle s'arrête de plus en plus souvent pour déposer des pièces dans son gobelet. Parfois elle lui tend un croissant ou une baguette de pain. Leur échange se limite à quelques mots courtois, bonjour, au revoir, merci – la SDF est toujours polie. Solène ignore ce qui la retient d'aller plus loin. Au Palais, elle aborde volontiers les nouvelles résidentes. Elle ne craint plus d'approcher la misère, celle-ci lui est devenue familière. Le mot précarité n'est plus un mot abstrait, il s'est incarné sous les traits de Binta, de Viviane, de Cvetana. Il a cessé de l'effrayer.

Dans la rue, tout est différent. Ce qu'elle ose entre les murs rassurants du Palais, Solène ne l'ose pas ici, devant la boulangerie. Aborder la jeune sans-abri, cela veut dire créer un lien, ouvrir la voie de l'empathie. Engager la discussion, c'est reconnaître l'autre dans son humanité. Difficile ensuite de le contourner, de continuer à l'ignorer.

Elle se sent honteuse de ne pas franchir ce pas. Elle aimerait se trouver des excuses, prétendre qu'elle est pressée, comme au temps du cabinet. Ce n'est pas vrai. Ce qui la retient, c'est autre chose, un sentiment qu'elle a du mal à nommer : la crainte de se sentir obligée. Sa mission s'arrête aux portes du Palais. C'est déjà bien assez, se dit-elle pour se dédouaner de cette petite lâcheté. Par le passé, elle a fait comme tant d'autres, baissant les yeux lorsqu'elle croisait un homme ou une femme en train de mendier. Il lui est même arrivé de changer de trottoir pour ne pas affronter son regard. Une façon de se protéger, se disait-elle alors. Ce discours lui convenait, elle parvenait à s'en accommoder. Depuis quelque temps, elle n'y arrive plus.

La nuit, dans son lit, elle se demande où dort la jeune sans-abri. Dans un foyer ? Un parking ? Ou quelque immeuble inhabité ? De l'ouverture à la fermeture de la boulangerie, elle se tient là, à genoux, sur le pavé. À genoux, comme une pénitente. Comme une condamnée.

Une femme à genoux dans la rue, cela devrait choquer le monde entier. Cela n'émeut personne, ou si peu. Cette image la hante, Solène tente en vain de la chasser sans y parvenir. Elle l'empêche parfois de dormir.

Elle sait exactement quand cela a commencé.

C'était une après-midi calme, au Palais. Elle était en avance sur l'horaire de sa permanence. Il n'y avait pas grand monde dans le foyer, seule la dame aux cabas somnolait dans un coin. Elle s'était éveillée à son arrivée.

La voyant seule, elle s'était approchée de Solène, lui avait demandé si elle pouvait s'asseoir. Solène avait acquiescé. Elle avait vite compris que la dame aux cabas n'avait ni courrier à rédiger ni conseils à solliciter. Elle avait juste envie de parler. Solène avait été tentée de l'interrompre, de lui dire qu'elle n'était pas là pour ça. Elle avait songé aux infirmières, aux aides-soignantes qui l'avaient accompagnée lors de son séjour en maison de santé. Plus que les somnifères et les cachets qu'elles venaient distribuer chaque jour, c'est leur attention bienveillante qui l'avait aidée à tenir. Il ne faut pas sous-estimer les petits gestes et les sourires, ils sont puissants. Ils sont autant de remparts contre la solitude et l'abattement. Alors Solène avait laissé la dame aux cabas continuer, ce jour-là. À défaut de sa plume, elle avait prêté son oreille – une oreille qui reçoit sans juger.

Au Palais, on l'appelle « la Renée », du nom que ses compagnes de rue lui ont donné. Elle a passé quinze ans sur le pavé. Quinze ans sans toit, sans foyer. Quinze ans sans dormir dans un lit. Depuis, la Renée n'y arrive plus. Pas moyen de trouver le sommeil dans sa chambre, elle s'y sent enfermée. Elle préfère dormir dans les parties communes, entourée de ses cabas. Ses affaires, elle ne peut se résoudre à les ranger dans les placards. Elle a l'impression qu'on va les lui voler. Elle a besoin de les sentir autour d'elle, constamment, comme si toute sa vie tenait là, dans ces grands sacs qu'elle trimballe jour et nuit sur son dos, telle une femme-escargot.

Son endroit préféré, c'est la buanderie. Elle s'endort régulièrement près des machines, dans les effluves de lessive et d'assouplissant. Les employés du Palais sont compréhensifs et la laissent parfois y passer la nuit. La Renée aime dormir ainsi, bercée par le bruit des lave-linge, dans l'odeur de propre et de frais. L'air chaud et humide soufflé par les sécheuses baigne la pièce d'une température douce, été comme hiver. Certaines résidentes se sont mises à râler, n'hésitant pas à la bousculer pour récupérer leurs affaires. La Renée s'est montrée rusée – quinze ans de rue vous apprennent à l'être. En échange de sa tranquillité, elle a proposé de surveiller le linge, mettant un terme aux nombreux vols qui ne manquaient pas d'advenir. En quelques semaines, la Renée est devenue la gardienne officielle de la buanderie, et ce titre lui plaît. Elle rend aussi service de temps en temps, remonte le linge dans les étages lorsqu'une de ses corésidentes est souffrante.

Bien sûr, elle a dû réapprendre à se servir des machines – elle avait oublié, ça comme le reste. Dans la rue, on ne lave pas ses vêtements ; faute des quelques euros nécessaires à l'utilisation de la laverie automatique, il est parfois plus simple de trouver des habits dans un vestiaire solidaire, et de jeter les anciens.

Quinze ans de rue, c'est comme quinze ans de coma, dit la Renée. Lorsqu'on en sort, il faut se réadapter, retrouver chaque geste du quotidien. Cuisiner, dormir dans un lit, faire la vaisselle, changer les draps, autant de défis pour une ancienne sans-abri. Ces mille petits riens qui font la vie, elle les avait perdus, laissés sur le pavé. Salma et les employées du Palais l'ont accompagnée dans ce long réapprentissage en forme de rééducation, telle une accidentée de la route ou une grande brûlée.

La Renée a eu trois vies : celle d'avant la galère, dont elle ne parle jamais. Puis celle de la rue, qui l'a engloutie, effaçant la première. De ces années cruelles, elle évoque le manque, le froid, l'indifférence, la violence. Dehors, on vous prend tout, dit-elle, votre argent, vos papiers, votre téléphone, vos sous-vêtements. On lui a même dérobé ses prothèses dentaires. On l'a violée, aussi. Cinquante-quatre fois. La Renée a compté.

Cinquante-quatre viols. Cinquante-quatre profanations de ce corps abîmé, éreinté. Une invraisemblable réalité, que des examens médicaux ont pourtant confirmée. Les médias l'évoquent rarement, le viol des femmes sans-abri n'est pas un sujet présentable. Pas assez chic pour passer au journal de 20 heures, lorsque la France est à table. Les gens n'ont pas envie de savoir ce qui se passe en bas de chez eux lorsqu'ils ont fini de dîner et vont se coucher. Ils préfèrent fermer les yeux.

Dormir, rêver. Un luxe que les femmes sans-abri ne peuvent s'octroyer. Dehors, elles sont autant de proies. La misère n'oppose pas de limite à l'horreur. La Renée se souvient avoir été réveillée en pleine nuit par des coups de pied, dans le parking où elle s'était réfugiée. Elle entend encore les râles des hommes se succédant sur elle, un groupe de SDF avinés. Ce qu'ils lui ont fait ensuite, elle préfère ne pas en parler. C'est un souvenir maudit, parmi tant d'autres qu'elle tente d'oublier.

Si tu t'endors, t'es mort. Voilà comment la Renée résume ses nuits dehors. Tout, plutôt que de succomber au sommeil. Il faut marcher, prendre le bus dans un sens, puis dans l'autre. Elle en a

184

parcouru, des kilomètres. Paris-New York, à pied. Certains soirs, ses jambes la faisaient tant souffrir qu'elle avait l'impression qu'elles allaient se détacher du reste de son corps. Pas question, pourtant, de s'arrêter. C'est une spirale sans fin qui chaque nuit recommence. Un voyage sans destination. Un départ sans arrivée.

Pour éviter d'être agressée, la Renée a coupé ses cheveux, dissimulé les signes de sa féminité. C'est ainsi, dit-elle, dans la rue, les femmes doivent se cacher pour survivre. Un cercle infernal et vicieux : en devenant invisibles, elles s'effacent, disparaissent de la société. Elles sont des Intouchables, des fantômes errant à la périphérie de l'humanité.

L'enfer a duré quinze ans. *Quinze ans approximativement*, ajoute la Renée. Sans sommeil, on perd la notion du temps. Dans la rue, il se dilate, s'étire comme un ballon de baudruche dans lequel on aurait trop soufflé. On cesse de compter les jours, les mois, les années. Le pire, c'est le métro. Il ne faut pas s'en approcher. Ceux qui s'y réfugient n'en reviennent pas. Certes, il y fait chaud, mais on plonge plus vite. Dans ses couloirs, on ne distingue même plus le jour de la nuit. On devient fou. Elle en a perdu, des amis, qui ont succombé à la tentation des profondeurs et ne sont jamais ressortis.

Il faut rester dehors, coûte que coûte. Tenir. Ne pas sombrer. *L'alcool et la drogue, c'est idem*, dit la Renée. Elle a toujours refusé d'y toucher. Un coup de rouge de temps en temps quand il fait trop froid, ça s'arrête là. Comme le métro, l'alcool est un piège. Un puits sans fond dans lequel il est facile de tomber. Il faut un sacré tempérament pour résister, elle peut en témoigner. Malgré la violence, malgré la faim, le froid, les agressions, la Renée n'a jamais lâché. C'est ainsi, elle est une force de la nature. Elle vient du Nord, là-bas, on est fait d'un bois dur, confie-t-elle, un bois qui ne rompt pas. Quelque chose en elle a tenu, quelque chose voulait continuer.

À l'issue d'une ultime agression plus dévastatrice encore que les précédentes, elle s'est retrouvée à l'hôpital, inanimée. C'est là qu'elle a rencontré l'Ange, comme elle l'a baptisée, une jeune assistante sociale plus zélée que les autres. Effarée par son état, l'Ange s'est juré de la sortir de là. Pas facile, à dire vrai. La Renée ne s'est pas laissé approcher comme ça. Des promesses, elle en avait trop entendu, on ne la lui faisait plus. La rue vous endurcit, vous rend méfiant comme un animal blessé. Qu'importe. L'Ange a pris la Renée à bras-le-corps, elle l'a soutenue, accompagnée, portée. À bout de forces, à bout de bras, à bout de dossier. Elle l'a aidée à refaire ses papiers – des années qu'on les lui avait volés, que la Renée vivait sans identité –, à obtenir le RSA auquel elle avait droit. Il a fallu patienter de longs mois, remplir des questionnaires, se rendre à des entretiens. Cela n'a l'air de rien mais relève du défi pour un sans-abri. Sans notion du temps, sans personne pour vous réveiller lorsque vous vous effondrez après une nuit passée dehors, il est presque impossible d'honorer un rendez-vous.

Pourtant, la Renée l'a fait. Grâce à l'Ange, elle a surmonté toutes les difficultés. Bien sûr, il y a eu des ratés, des prises de bec, l'envie de tout abandonner. Quelques plumes ont volé. Mais ensemble elles y sont arrivées. Leur demande d'accueil en foyer a fini par aboutir, après des mois de combat. Elles ont fêté la nouvelle autour d'une assiette de fricadelles, le plat préféré de la Renée.

Sa troisième vie a débuté ici, au Palais. Quand elle est arrivée, la Renée tenait à peine debout, Salma peut en témoigner. Elle s'est endormie sur l'un des fauteuils de l'accueil, avant même d'avoir récupéré ses clés. Cartonnée de fatigue, elle s'assoupissait partout, parfois au milieu d'une phrase, d'une discussion. Elle a passé des jours entiers à dormir dans le grand foyer, dans la buanderie, au pied de son nouveau lit auquel elle ne parvenait pas à s'habituer. Il lui faudra du temps pour se faire au matelas.

Bien sûr, le combat n'est pas terminé, il reste du chemin à parcourir, mais la Renée est là, en vie. Elle a un toit. Plus personne ne l'éveille la nuit à coups de pied pour la violer. Entre les murs du Palais, elle tente de retrouver sa dignité, qu'elle a laissée sur un banc, il y a longtemps. L'estime de soi, c'est ce qu'il y a de plus difficile à regagner.

En attendant, elle garde la tête haute. La tête haute, toujours. Telle est la devise de la Renée.

Chapitre 23

Paris, 1926

*C'est fou ce que les Peyron parviennent à obtenir :
ils ont un don pour ça !*

Dans les rangs de l'Armée, on loue l'ardeur et la
ténacité des deux Commissaires. En ce début de printemps 1926, la souscription pour le projet du Palais
de la Femme bat son plein. Le 6 mai, le deuxième
million de francs est atteint.

Les travaux viennent de démarrer. Blanche tient à
s'assurer elle-même de leur bon déroulement. Elle se
plaît à visiter le chantier, en imaginant à quoi ressem-
blera l'endroit une fois rénové.

Chaque chambre de 9 m² sera dotée d'un lavabo
en grès émaillé blanc alimenté d'eau chaude et d'eau
froide. Les murs seront peints et le parquet ciré.
Chaque studio comptera un lit, une armoire avec
penderie, étagères et tiroirs, ainsi qu'une petite table

et une chaise. Le bâtiment prévoit aussi deux dortoirs d'attente de vingt-cinq places. Suivant l'étage, les chambres seront peintes de différentes couleurs, en bleu, en vert, en beige, en gris. Outre les plaques sur les portes, des panneaux seront installés dans les couloirs, pour aider les occupantes à se repérer.

Dans les espaces communs seront aménagés une laverie, une salle à manger où pourront être servis des centaines de repas ; une salle de récréation, une bibliothèque que l'on s'appliquera à remplir d'ouvrages ; une salle de gymnastique ; des salles de couture, de réunion, un parloir pour les visites. Enfin, les terrasses sur le toit seront transformées en aire de repos et en jardin d'enfants, afin que les résidentes ouvrières puissent faire garder leurs petits.

Blanche le voit déjà, son Palais de la Femme : un refuge pour toutes celles que la vie a malmenées, que la société a mises de côté. Une citadelle, où chacune aura son logis bien à elle, une chambre chauffée, aérée, confortablement meublée. Une chartreuse de paix.

Un Palais pour panser ses blessures et se relever.

Son enthousiasme, pourtant, se ternit devant l'état des comptes. Les souscriptions se poursuivent mais ce n'est pas assez. Les sommes englouties dans les travaux sont faramineuses. La rénovation se révèle particulièrement coûteuse. Il faut démolir des cloisons, en construire de nouvelles, refaire des terrasses et des planchers, transporter les lavabos dans les étages, aménager les cuisines, remettre en état le chauffage central et l'éclairage, repeindre des milliers de mètres carrés de murs et de plafonds. Un million et demi est encore nécessaire pour régler les dépenses engagées. Sans parler du remboursement du capital emprunté, auquel il faudra bien songer…

Pour la première fois, Blanche se met à douter. N'a-t-elle pas vu trop grand ? Ne s'est-elle pas montrée plus qu'ambitieuse en se lançant dans ce projet ? Au nom de la cause et des démunis, n'a-t-elle pas cédé au péché d'orgueil, de vanité ? Elle s'est crue assez puissante pour surmonter les difficultés, pour convaincre le monde entier du bien-fondé de son action. L'avenir lui donnera-t-il raison ? Ou aurait-elle engagé l'Armée dans un gouffre financier sans fond ?…

Blanche perd pied. En Alsace où elle donne une série de conférences, elle s'effondre à la fin d'un discours. Elle reste allongée plusieurs heures, sans parvenir à se relever. Elle rentre à Paris, exsangue, plus faible que jamais.

Albin est inquiet. Sa Blanche d'ordinaire si fière, si conquérante, cède à la fatigue, à l'accablement. Sa santé s'altère, la toux ne la laisse plus dormir. Elle souffre des oreilles, des dents, de la gorge, la migraine lui tenaille le cerveau. Une sciatique la torture, entravant ses mouvements.

Lors de ses longues heures d'insomnie, Blanche se lève, tourmentée, et arpente le salon de l'appartement. Elle n'a pas le droit de faillir, pas maintenant. Elle songe à toutes les guerres qu'il a fallu mener, toutes les batailles qu'elle a livrées, depuis ses débuts dans l'Armée. Son énergie l'abandonne aujourd'hui, son corps la trahit. Dans ses lectures, elle tente de trouver l'ultime recours, la force de continuer à lutter. Elle relit les pages de son livre de chevet, *Courage*, de J.M. Barrie, l'auteur de *Peter Pan*, dont elle a souligné des passages tout au long de sa vie : *Il y a devant vous des années glorieuses, à condition que vous désiriez qu'elles le soient. Allez donc de l'avant, comme des braves.* Elle invoque sainte Thérèse de Lisieux : *Le Seigneur m'a fait cette grâce de n'avoir nulle peur de la guerre.* Elle retrouve les vers de Victor Hugo, son cher Victor Hugo, dont elle aime tant le souffle et reconnaît l'engagement :

> *Ceux qui vivent, ce sont ceux qui luttent ; ce sont*
> *Ceux dont un dessein ferme emplit l'âme et le front.*
> *Ceux qui d'un haut destin gravissent l'âpre cime.*
> *Ceux qui marchent pensifs épris d'un but sublime.*

Blanche a toujours admiré le grand homme et le cite dans ses conférences. Son *Discours sur la Misère* est une référence. Récemment, elle a choisi un de ses poèmes pour illustrer la revue *En Avant* :

Donnez ! il vient un jour où la terre nous laisse.
Vos aumônes là-haut vous font une richesse.
Donnez ! Afin qu'on dise il a pitié de nous !
Afin que l'indigent que glacent les tempêtes,
Que le pauvre qui souffre à côté de vos fêtes,
Au seuil de vos palais fixe un œil moins jaloux.

Depuis l'enfance, Blanche est une insatiable lectrice. Malgré les aléas de la vie, elle n'a jamais cessé de lire, trouvant réconfort et inspiration auprès de ses auteurs favoris.

Hélas, Victor Hugo n'est plus, et la voix de Blanche s'éteint, lentement.

C'est Albin, le partenaire fidèle et dévoué, le complice de toujours, le compagnon d'armes et de cordée, qui trouve les mots pour la relever. Ils se l'étaient promis ce jour-là, sur le grand-bi : si l'un tombe, l'autre le rattrapera. Ainsi font les soldats. À deux, on est plus forts. Seuls, on ne va jamais loin. Blanche se souvient de ce qu'il avait dit.

Il n'a pas menti. À ses côtés, Albin n'a jamais faibli. Les obstacles ne sont que des cailloux sur la route, lui dit-il. Le doute fait partie du chemin. Le sentier n'est pas uniforme, il y a des passages agréables, des tournants raboteux et pleins d'épines, du sable, des rochers, avant les prairies couvertes de fleurs... Il faut continuer d'avancer, quoi qu'il en coûte. *Tu es une guerrière,* lui souffle-t-il un soir, *un ange combattant. Ta force est immense. Ta vie laissera un profond sillon.*

Le lendemain, Blanche est debout. La fièvre est tombée dans la nuit. Albin voudrait qu'elle se repose, mais elle sourit : *Ne t'en fais pas,* dit-elle, *j'aurai bien le temps de remettre mes bronches avant la prochaine tournée. Plutôt mourir dans la lutte que vivre loin d'elle.*

Et Blanche repart en guerre, dans cet uniforme qu'elle n'a jamais cessé de porter. Sa foi est son épée. La confiance et l'amour d'Albin sont ses meilleurs alliés. Ensemble, ils vont continuer à gravir le chemin sur lequel ils se sont engagés, il y a près de quarante ans. Si les traits de leurs visages se sont affaissés, si leur démarche est un peu moins assurée que par le passé, l'amour est toujours là.

Et il va les conduire jusqu'au sommet.

Chapitre 24

Paris, aujourd'hui

Un silence de mort règne au Palais.

Solène le sent immédiatement en franchissant les portes : il est arrivé quelque chose. Le comptoir de l'accueil est désert, comme le grand foyer. Prise d'un sombre pressentiment, elle marche en direction des bureaux, frappe aux portes. Personne ne répond. Elle finit par gagner la grande salle de réunion, où sont réunies les employées et la directrice. Salma s'avance vers Solène, les yeux rouges et gonflés.

C'est Cynthia, souffle-t-elle.

Cela faisait trois jours qu'elle ne s'était pas montrée. Certaines résidentes s'enferment dans leur chambre des semaines entières – mais ce n'est pas le genre de Cynthia. Salma s'est inquiétée. Elle est allée frapper à sa porte, a questionné les Tatas. Personne n'avait vu ni entendu la jeune femme depuis un moment. Un calme suspect. Salma a demandé l'auto-risation de dupliquer la carte magnétique qui permet d'entrer dans les chambres.

C'est là qu'elle l'a trouvée, étendue sur son lit. Sans vie.

Cynthia a laissé une lettre sur la table de nuit. Ses mots, Salma ne les oubliera jamais. Ils sont gravés dans sa mémoire comme un testament, le dernier cri de Cynthia avant l'éternité.

Elle disait qu'il était trop tard pour elle, depuis longtemps. Trop tard depuis toujours. Que sa nais-sance n'avait servi à rien. Qu'elle n'était pas désirée. Que sa vie n'avait été qu'une longue série de désillu-sions et de souffrances. Qu'elle aurait préféré ne pas exister.

Que son fils était la plus belle chose qui lui soit arrivée. Qu'il lui avait offert les seuls moments de joie qu'elle ait connus. Qu'elle espérait qu'il serait adopté et trouverait des parents qui prendraient soin de lui mieux qu'elle ne l'avait fait.

Qu'elle choisissait de partir avec sa vieille copine, cette drogue que l'on dit dure mais qui lui promettait une douce échappée.

Qu'elle n'emporterait pas sa colère avec elle, qu'elle préférait la laisser là, entre les murs du Palais.

Qu'elle garderait seulement le rire de son fils, son rire d'enfant lorsqu'elle le chatouillait.

Le rire de son fils, juste ça.
Juste ça, avant de s'en aller.

Solène est muette. Cette disparition la foudroie.
La mort de Cynthia, c'est l'échec de toute la société.
Celui du Palais, de l'Aide à l'enfance. Celui des
foyers d'accueil et des éducateurs, de tous ceux que
la jeune femme a croisés au cours de sa brève existence. Malgré les efforts des uns et des autres, personne n'a su l'aider, la tirer des sables mouvants dans
lesquels elle s'enfonçait, lentement.

T'es comme les autres, tu sers à rien ! Solène se
souvient de ces mots. La culpabilité vient la heurter,
la frapper aussi brusquement que le coup de poing
de Cynthia sur son ordinateur, ce jour-là. Solène est
assaillie de questions. Que serait-il advenu si elle
avait accepté de l'aider ?

Salma interrompt ses élucubrations. Solène n'est
pas responsable de ce drame, pas plus que les femmes
du Palais. Ce qui a tué Cynthia, ce n'est pas le bruit
dans les couloirs, ni les poussettes des Tatas, ni même
le studio qu'elle réclamait à cor et à cri et n'obtenait
pas. Ce qui l'a tuée, c'est l'amour qu'elle n'a jamais
reçu. C'est ce vide de l'enfance, ce manque en elle,
jamais comblé. Ce gouffre que rien ni personne n'a
pu colmater, pas même l'amour d'un fils, ni la plus
dure des substances. On peut changer de chambre,

changer de quartier, de ville ou de pays, on emporte partout son mal-être avec soi, dit Salma.

Le manque d'amour, voilà ce qui a tué Cynthia.

Voilà le seul coupable.

Dans l'ancienne salle de culte, les femmes se sont réunies pour rendre hommage à Cynthia. Elles se sont succédé pour dire des prières à son intention. Des prières dans toutes les langues, de toutes les religions.

Une veillée a été organisée dans le grand foyer. Solène n'avait pas le courage de rentrer chez elle. Elle est restée avec les résidentes et les employées. Elle sentait que sa place était là, parmi elles. Des bougies ont été allumées. Un repas a été improvisé dans des assiettes en carton, des tasses de thé distribuées. Il y a eu des chants, des prises de parole inopinées au milieu des conversations ; quelqu'un a même apporté une guitare. Une collecte a été lancée pour financer les funérailles, une autre pour le fils de Cynthia. Des boîtes à chaussures ont circulé, chacune y déposant ce qu'elle voulait. La veillée a duré toute la nuit. Non pas une veillée silencieuse, recueillie, plutôt une veillée agitée, bordélique et confuse. À l'image de Cynthia.

On avait besoin de parler, d'échanger, de penser à celle qui n'était plus là, la révoltée, l'écorchée vive, qui n'aimait personne et dérangeait tout le monde. Malgré sa violence et ses débordements, Cynthia était un membre à part entière de la communauté. La petite sœur sacrifiée. La plus turbulente, la plus impertinente, la plus insupportable. La plus désespérée.

Solène quitte le foyer au petit matin, terrassée de fatigue et de chagrin. Dans la lumière grise de l'aube, le Palais lui apparaît sous un jour différent. Il n'est plus cette forteresse aux lignes rassurantes, ce refuge, ce navire recueillant les exclues de la société. Il n'est plus l'arche de Noé, mais un bateau qui prend l'eau. Il a laissé l'une de ses protégées se noyer. Il s'est transformé en tombeau.

Plus jamais le grand foyer ne résonnera des cris de Cynthia. Menacée d'exclusion, la jeune femme a trouvé le moyen de s'échapper. *Ne me chassez pas, je m'en vais.* Pour elle, plus de salut, plus d'espoir, songe Solène. Seulement la mort qui vient vous prendre la main, et vous invite à danser dans le noir.

Chapitre 25

Voilà trois jours que Solène ne sort plus de chez elle. Elle ne descend même plus à la boulangerie. Elle n'a pas répondu aux messages inquiets de Léonard. Ils devaient se voir comme chaque mois pour faire le point sur la mission. Solène n'est pas allée au rendez-vous, n'a pas pris soin de le décommander. À quoi bon ? Elle n'a pas envie d'entendre la voix enjouée de Léonard, de subir son enthousiasme forcé. Elle n'en peut plus de ces gens qui vont bien, trop bien. Elle le laisse à son bureau encombré, à ses dinosaures en argile et à ses dessins.

Elle ne connaissait pas vraiment Cynthia ; elle ne lui a parlé qu'une fois, le jour de leur altercation. Pourtant, sa mort la foudroie. Pourquoi cet abattement ? Pourquoi tant de chagrin ? Solène ne comprend pas.

Puis soudain, l'image est là. Elle lui apparaît dans une effroyable clarté. Le corps d'Arthur Saint-Clair, écrasé sur les dalles en marbre du Palais.

La mort sur son chemin, encore. La mort décidée, choisie, de ceux qu'elle n'a pas pu ni *su* aider. La disparition de Cynthia la renvoie à celle de son client, tel un boomerang qui lui revient de plein fouet. Elle la ramène au sentiment d'impuissance, de culpabilité, au vide abyssal qui s'était ouvert sous ses pieds. Le spectre de la dépression ressurgit. Solène peut sentir sur elle son haleine glacée, ses doigts gelés qui tentent de l'entraîner.

Le psychiatre a menti. Le bénévolat n'a servi à rien. Solène est retombée dans un puits. Elle s'était crue guérie. Elle s'est trompée.

Léonard appelle une nouvelle fois. Devant son insistance, elle finit par décrocher, d'une voix éteinte. Elle raconte la mort de Cynthia, son désarroi. La tragédie a sonné le glas de ses illusions. Elle lui fait toucher du doigt les limites de son engagement. Il est bien amer, le constat. Les mots ne servent à rien, Cynthia avait raison. Ce ne sont pas eux qui changeront le monde. Pas ceux de Solène, en tout cas.

Elle ne souhaite pas poursuivre sa mission. Elle appellera la directrice du Palais pour lui expliquer sa décision. Elle n'est pas taillée pour ce genre de combat. Elle ne sait que faire du chagrin de ces femmes, de leurs vies abîmées qui viennent se cogner à la sienne, l'ébrécher encore davantage.

Elle a tenté de se protéger, de suivre les conseils de Léonard. La distance, avait-il dit, c'est le maître mot.

On ne peut pas endosser les drames de tous ceux qui viennent se confier. Il faut savoir se préserver. Enfiler une carapace en entrant au Palais, et l'enlever en sortant, Solène en est incapable. Elle n'a pas l'âme d'une tortue ou d'un crustacé. Sa cuirasse prend l'eau, elle fuit de tous côtés.

Certes, elle a connu des victoires, de minuscules victoires qui l'ont emplie de joie. Autant de grains de sable balayés par la mort de Cynthia. Solène n'a plus la force de lutter. Les vents contraires sont trop violents. Entre les murs accueillants du foyer, elle s'est crue capable d'aider ces femmes, de défier la misère. Vanité. Elle n'est rien de plus qu'un colibri, un insignifiant volatile au bec trop étroit, qui s'agite en vain devant un incendie.

Elle va reprendre le droit. Pas en tant qu'avocate, elle aurait l'impression de revenir en arrière – tout plutôt que revivre le surmenage du cabinet. Elle peut en revanche solliciter un poste d'enseignante à l'université. Devenir professeure, comme ses parents. Ce n'est pas le terrain de jeux dont elle rêvait, mais ses rêves, finalement, ne l'ont menée nulle part. Elle évoque ce roman qu'elle s'était promis d'écrire. Elle avoue qu'elle n'y arrive pas. Pour les autres, elle sait trouver les mots ; pour elle-même, ils ne viennent pas. Elle manque d'inspiration. Il faut croire qu'elle n'est pas faite pour ça.

Léonard l'a écoutée sans l'interrompre. Après un long silence, il confie qu'il a froid. Il se tient dans la rue, juste en bas, devant l'immeuble de Solène, avec des pains au chocolat. Il accepterait volontiers un café – ou un thé, si elle voulait bien l'inviter à monter.

Ils restent longtemps à parler, dans le salon, sur le canapé. Léonard a compris d'emblée que la partie était jouée, que rien de ce qu'il pourrait dire n'infléchirait la décision de Solène. Pour la première fois, elle se montre telle qu'elle est. Elle révèle sa fragilité, évoque son burn-out, le suicide d'Arthur Saint-Clair qui a fait basculer sa vie. Elle dévoile tout ce qu'elle avait tu lors de leur première entrevue. Elle n'a plus rien à perdre, plus rien à cacher.

Léonard est ému par sa franchise. Il était loin d'imaginer ce qu'elle a traversé. Il confie qu'il a pris l'eau, lui aussi, il y a quelques années, lorsque son ex-compagne l'a quitté. Elle était maman de deux jeunes enfants quand ils se sont rencontrés. Ces petits, Léonard les a aimés, bercés et élevés comme les siens. Il a vécu dix ans de bonheur à leurs côtés, avant qu'ils ne lui soient arrachés. C'est un fait, la société ne prévoit rien pour les beaux-pères et belles-mères abandonnés. Ni droit de garde, ni visite. Sans lien de parenté avec l'enfant, on n'a pas de statut. On n'existe plus. On disparaît, on s'efface de leur histoire comme une silhouette qui s'évanouit sur une photo ancienne, comme un visage dont on ne parvient pas à retenir les traits. Léonard avoue le désespoir, les idées noires qui l'ont assailli. Dans la séparation, il n'a pas seulement perdu une compagne, mais aussi une famille. Il s'est retrouvé orphelin. De son ancienne vie, il ne lui reste rien, sauf les quelques dessins que les enfants lui ont laissés. Dix ans réduits à trois bouts de papier.

Assise près de lui sur le canapé, Solène l'écoute se confier. Elle le comprend si bien. Elle aussi est une rescapée de la solitude. Le vide et le silence, elle connaît. Les appartements dans lesquels on se perd, faute d'avoir quelqu'un à qui parler. L'angoisse qui vous étreint à la nuit tombée. Le désarroi de se réveiller seule, au matin. L'appréhension des week-ends et des jours fériés qui ne sont rien d'autre qu'un enchaînement de longues journées solitaires où l'on tue le temps, faute de se tuer. L'impression que la vie vous file entre les doigts, comme du sable. Comme un train qu'on ne peut arrêter, dans lequel on n'a pas choisi de monter.

Oui, tout cela, elle connaît.

Léonard s'apprête à prendre congé. Il respecte le choix de Solène quant à sa mission. Il n'a pas de conseils à donner. Il l'incite juste à persévérer, pour son roman. Si l'inspiration ne vient pas, c'est peut-être que Solène n'a pas encore trouvé son sujet. Les mots sont des papillons, fragiles et volatils. Il faut le bon filet pour les rattraper.

Il lui souhaite bonne chance pour la chasse aux lépidoptères et la remercie, pour le thé. Et aussi pour les heures qu'elle a consacrées au Palais. Il fallait du courage pour aller là-bas, pour franchir ses portes, pour gagner sa place parmi ces femmes. Solène a fait preuve d'empathie, de générosité, de patience. Elle n'est peut-être qu'un colibri, mais ses ailes sont immenses.

Si elle change d'avis, qu'elle n'hésite pas à l'appeler. Elle sait où le trouver.

Solène le regarde partir, sonnée. Les mots de Léonard l'ont déstabilisée. Étrangement, il n'a pas essayé de la convaincre de retourner au Palais. Lui d'ordinaire si insistant, l'abandonne aujourd'hui à ses interrogations.

Elle va s'asseoir à la cuisine et saisit le bocal de bonbons. Elle y a placé chaque offrande de Sumeya. Le pot à confiture s'est rempli, au gré de ses permanences au Palais. Un bonbon pour chaque séance.

Solène adore les sucreries mais n'y a pas touché. Elle les a conservées, comme on garde un trésor secret. Ce soir-là, dans la solitude de son appartement, elle ouvre le pot et commence à manger les bonbons, un par un. Pour chacun d'eux, un moment du Palais lui revient.

Elle songe à Binta, à Salma, à Viviane, à Cvetana, à Iris, à la Renée, à toutes les femmes qu'elle a rencontrées. Elle pense aux cours de zumba, aux tasses de thé, à la veillée de Cynthia, à ces moments partagés. Avec les oursons en guimauve, les petites bouteilles de Coca, les Dragibus, les réglisses fourrées, les fraises Tagada, les œufs au plat, les chamallows, les schtroumpfs et les crocos, le goût de la vie ressurgit – il est trop sucré, piquant, écœurant, acidulé, mais il est là.

Solène se dit qu'il est trop tard, bien trop tard pour Cynthia. Sa mort est injuste, intolérable, inacceptable. Pour une Sumeya sauvée, combien se sont noyées ?

Il est trop tard pour elle mais pas pour d'autres. Des femmes blessées, il y en a plein les rues. Pas besoin d'aller loin pour en trouver.

Il y en a justement une, près d'ici.

En bas, à genoux, devant la boulangerie.

Chapitre 26

Elle s'appelle Lily.

En vrai, c'est Aurélie, mais elle déteste ce prénom choisi par sa mère. Lily, c'est plus stylé. C'est chic. Ça vous pose là.

Lorsque Solène l'aborde devant la boulangerie pour lui proposer un café, la jeune sans-abri a l'air étonnée. Cela fait des semaines qu'elles se croisent sans vraiment se parler. Solène lui donne des pièces, un croissant de temps en temps. Elle lui dit bonjour en souriant. Ce n'est pas grand-chose mais c'est déjà ça. Un effort que d'autres ne font pas.

Solène l'invite à la brasserie du coin. Lily a faim. Elle choisit un steak haché frites – avec beaucoup de ketchup, précise-t-elle au serveur, elle adore ça. Un peu intimidée, elle répond aux questions de Solène en dévorant son plat. Elle a dix-neuf ans, presque vingt, le 9 décembre prochain. Elle dit avoir hâte de vieillir, contrairement à d'autres : à vingt ans, on n'a droit à rien. Elle appartient au cercle des « trois ni », une expression inventée par les sociologues pour désigner les jeunes dans son cas : ni en emploi, ni en enseignement, ni en formation. Lily a découvert l'expression dans le journal sur lequel elle s'agenouille chaque jour pour avoir moins froid.

Son histoire, elle veut bien la raconter. Une enfance en province, auprès d'une mère exubérante et fusionnelle – hystérique, diraient certains. Le père de Lily a vite compris qu'il était de trop, il est parti. Au début, il venait la voir le week-end, ou durant les jours de congé. Et puis il a renoncé. Il aurait aimé l'emmener en vacances, passer du temps avec elle, mais à chaque fois, la mère s'y opposait. Cette enfant qu'elle avait portée et mise au monde lui appartenait. Elle était sa chose, son trophée.

Regardez comme elle est belle, ma fille.

Regardez.

Lily a grandi en apnée, entre les deux pièces du petit appartement familial et la pâtisserie dont sa mère a hérité. Si elle n'a pas manqué d'affection, elle a souvent manqué d'air. L'amour maternel l'étouffait, l'absorbait tout entière, la digérait. Il ne connaissait pas la frontière entre le « je » et le « tu ». La mère et la fille dormaient dans le même lit, partageaient les mêmes vêtements, les mêmes chaussures. Sa mère avait peu d'amis : elle disait *je n'ai besoin de rien d'autre. Tu me suffis.* Elle disait *on est bien comme ça.* Et Lily la croyait.

Cet amour l'a broyée, massacrée.

En grandissant, la petite Lily est devenue jolie. Hélas, elle a commencé à plaire. Certains hommes venaient plus souvent à la pâtisserie. D'autres s'attardaient devant les gâteaux lorsqu'elle servait. Quand elle surprenait leurs regards insistants sur le corps de Lily, sa mère l'envoyait à l'arrière vérifier la cuisson des beignets. Cette jalousie se doublait d'une forme d'appropriation. Tout tiers était exclu de leur relation.

Et puis il y a eu Manu, rencontré au lycée professionnel où Lily suivait son CAP de pâtisserie. Elle l'a aimé à la seconde où elle l'a vu. Avec lui, elle a découvert la liberté. Ensemble ils faisaient le mur, dansaient dans les fêtes, rentraient à six heures du matin. Lily aimait son insouciance, cette façon de vivre sans penser à demain.

Sa mère broyait du noir en son absence. Elle tentait d'empêcher sa fille de sortir, lui faisait du chantage, menaçant de lui couper les vivres. Elle disait *méfie-toi, il ne t'aime pas*. Elle conspuait Manu, lui trouvant tous les défauts du monde, l'accablant à la moindre occasion.

Loin de décourager Lily, ces diatribes l'écartaient chaque jour un peu plus de la sphère maternelle. Voyant qu'elle était en train de perdre la partie, sa mère opta pour une autre stratégie. Elle invita Manu à dîner, proposa même de l'engager pour l'été à la pâtisserie. Elle semblait décidée à faire la paix. Ravie de ce changement, Lily ne s'est pas méfiée.

Un jour, alors qu'elle était partie livrer une commande, Lily est rentrée plus tôt que prévu. Elle a trouvé sa mère et Manu dans l'arrière-salle de la pâtisserie, enlacés, à demi nus. L'expression de sa mère ce jour-là, Lily ne pourra jamais l'oublier. Dans ses yeux, pas de gêne mais une forme de jouissance, de revanche. Et de haine.

Lily n'a pas dit un mot. Elle a pris ses affaires et le premier train pour Paris. Elle n'a plus jamais donné signe de vie. Doublement trahie et blessée, elle a trouvé refuge chez une cousine, qui l'a accueillie un temps, puis lui a demandé de partir. Elle venait de rencontrer quelqu'un, elle avait besoin d'intimité. Lily ne lui en a pas voulu. Elle est passée de divans en canapés-lits au gré de relations éphémères, avant de se retrouver sans-abri.

Du travail, elle en a cherché. Les pâtisseries, ce n'est pas ce qui manque à Paris, se disait-elle. Elle a vite déchanté en comprenant que le secteur était saturé. L'un des pâtissiers auxquels elle a distribué son CV avait reçu trente lettres de candidats apprentis. Il ne pouvait en choisir qu'un. *La médiatisation des émissions de cuisine a fait éclore de nombreuses vocations, mais le marché ne suit pas*, lui a-t-il expliqué. Même les enseignes prestigieuses connaissent des difficultés, concurrencées par les pâtisseries industrielles.

La recherche d'emploi de Lily a pris la forme d'un long tunnel menant à la précarité. Elle a tenté de recontacter son père, sans succès. Il avait refait sa vie à l'étranger – à Bali, a-t-elle compris au téléphone, ou quelque chose comme ça.

La première nuit qu'elle a passée dehors, Lily s'en souvient. C'était au mois de juin. Elle n'avait pas assez d'argent pour s'offrir une chambre d'hôtel. Il ne faisait pas trop froid. Alors elle s'est installée sur un banc – juste pour cette fois, s'est-elle dit.
Cette fois s'est renouvelée le lendemain, et les jours suivants.
Cette fois dure depuis des mois.

Retourner d'où elle vient, bien sûr, elle y a pensé. Mais elle ne veut pas revoir sa mère. Sur sa vie d'avant, elle a tiré un trait. Dans la petite ville où elle a grandi, Lily aurait trop honte de mendier. Elle ne supporterait pas de croiser quelqu'un qu'elle connaît. Ici au moins, elle est anonyme. Elle est une parmi tant d'autres, sur le pavé.

Elle s'était juré de ne jamais tendre la main, de ne pas céder à cette extrémité. Elle a pourtant dû s'y résigner. Le froid, on peut encore tenter de s'en protéger, mais contre la faim, impossible de lutter. Elle vous tord les intestins et vous noue l'estomac. Cela faisait deux jours que Lily n'avait rien mangé. Alors elle s'est cachée derrière le bout de carton sur lequel elle a inscrit *Aidez-moi*, et elle a pleuré. Ses larmes, personne ne les a vues. Elle ne voulait pas les montrer. Elles étaient tout ce qui restait de sa dignité.

À bien y réfléchir, sa vie ressemble à un conte de fées à l'envers. Elle aimait ceux que son père lui racontait lorsqu'elle était enfant. La fin, immanquablement positive, la rassurait. Mais ici, pas de *happy end*. La princesse s'est transformée en sans-abri. La pantoufle de vair n'est plus qu'une basket usée, trouée à force d'avoir arpenté le bitume. Le royaume de Lily est une succession de boulevards, son château un trottoir battu par les vents, sa couronne un bonnet de laine qui cache ses cheveux emmêlés. Sa robe est une superposition de collants et de pantalons – pour éviter qu'on ne lui vole ses affaires, elle a décidé de toutes les porter. Ses compagnons ne sont pas les jolies souris des dessins animés, mais des rats aussi affamés qu'elle, qui errent la nuit dans les coins où elle parvient à se réfugier.

Une amie rencontrée aux Restos du Cœur lui a conseillé de se maquiller et d'aller en boîte de nuit. Lily a dix-neuf ans, elle est jolie. Les rencontres d'un soir, ça ne dure pas, mais au moins vous dormez dans un lit – avec un peu de chance, on vous offre même le petit déjeuner. Lily l'a fait, une ou deux fois. Elle ne l'a pas supporté. Elle s'est sentie sale, souillée, d'une tache qu'aucune douche ne pourrait effacer. Alors elle a arrêté. Elle préfère encore mendier, que de se prostituer pour un lit et du café.

Dans l'ensemble, les gens du quartier sont plutôt bienveillants. Lily réunit chaque jour assez d'argent pour manger. Et puis il y a des bonnes fées. Nanou, la cuisinière du bistrot d'en face, qui la laisse utiliser les toilettes de l'établissement pour se brosser les dents et se laver. Ou Fatima, la concierge d'un immeuble voisin, qui lui a donné le code de la porte d'entrée, et ferme les yeux lorsque Lily monte au dernier étage dans les chambres de bonne inoccupées. Depuis quelque temps, hélas, la porte ne s'ouvre plus. Le code a dû changer, la concierge se faire sermonner.

Lorsqu'on lui demande comment elle envisage l'avenir, Lily ne répond pas. Elle l'a perdu de vue, depuis longtemps déjà. Il s'est évaporé. L'avenir, c'est du passé.

Des rêves, elle en avait. Du talent aussi – on le lui a dit, lorsqu'elle a obtenu son CAP. *Tu feras une excellente pâtissière*, a soufflé l'enseignant qui lui a remis son diplôme. Lily s'est sentie fière.

Aujourd'hui, elle contemple les gâteaux à travers la vitrine de la pâtisserie devant laquelle elle s'assoit pour mendier. Elle a du talent, oui, mais personne ne le voit. Personne ne le sait.

Personne, sauf peut-être Solène ce soir-là.

En écoutant l'histoire de la jeune sans-abri, Solène est prise d'une idée insensée. Elle conçoit un projet fou, déraisonnable et immense.

C'est un projet de vengeance. Une revanche sur la misère. Solène ne la laissera pas remporter le combat. Elle a perdu une bataille, elle a perdu Cynthia. Mais la guerre n'est pas terminée. Elle va monter sur le ring et se battre, affronter le malheur. Il n'y aura pas de pitié. Ce sera œil pour œil, dent pour dent.

Pour une de perdue, une de sauvée.

Solène s'en fait la promesse, ce soir-là. Elle va sortir Lily de la rue pour racheter la mort de Cynthia.

Rédiger des lettres ne suffira pas. Il faudra activer son réseau de relations, tous ses contacts au Palais. Solliciter la directrice, les travailleuses sociales, Salma, les bénévoles, les employées. Solène devra faire preuve de courage, de patience, de ténacité. Mais la victoire n'est pas impossible, elle le sait. Si l'Ange et la Renée ont réussi, pourquoi pas elle ?

Cynthia avait raison. Parfois, les mots ne suffisent pas.

Lorsqu'ils sont impuissants, il faut passer à l'action.

Chapitre 27

« Il faut avoir foi en notre travail et en nos méthodes,
croire que quelque chose va arriver et cela arrive. »

William Booth

Paris, 1926

Les yeux levés, Blanche contemple l'inscription gravée sur la façade : *Le Palais de la Femme*. Elle glisse sa main dans celle d'Albin, à ses côtés. Ils l'ont fait.

Ces dernières semaines, ils ont travaillé d'arrache-pied, quasiment jour et nuit. La campagne de dons s'est intensifiée. Les Peyron ont multiplié les discours, les articles, les conférences et les actions. Ils sont parvenus à achever les gigantesques travaux entrepris. Le Palais n'est plus une chimère, il existe désormais. Il se tient là, devant eux, majestueux, marqué de l'insigne Sang et Feu de l'Armée.

Le Palais de la Femme est officiellement inauguré le 23 juin 1926. Le général Bramwell Booth a fait le déplacement de Londres pour l'occasion. Cette après-midi-là, près de deux mille personnes se pressent dans l'immense salle de réception. Les personnalités du comité d'honneur ont pris place sur l'estrade, aux côtés du représentant du président de la République. Monsieur Durafour, le ministre du Travail et de l'Hygiène, dit *sa gratitude, son admiration et sa reconnaissance* envers l'Armée du Salut. Albin prend la parole, épuisé mais radieux. Grâce aux souscriptions, 3 millions de francs ont été réunis ! Contre toute attente, il réclame alors… un quatrième million, indispensable pour couvrir les frais d'installation qui dépassent sensiblement les prévisions. La lutte doit continuer !

Auprès de lui sur l'estrade, Blanche songe à la Maréchale, croisée à Glasgow il y a si longtemps, à cette question qu'elle lui avait lancée : *Et vous, qu'allez-vous faire de votre vie ?* Il lui semble que la réponse est là, entre les murs de ce foyer, dans cette forteresse dédiée aux femmes déshéritées. Elle pense à toutes celles qui, un jour, trouveront refuge ici et seront sauvées. Elle pense aux nonnes qui résidaient dans ce couvent et en furent chassées ; à celles qui sont enterrées là, sous leurs pieds.

Son visage porte l'empreinte des batailles livrées, des larmes répandues, des déceptions subies, de l'ingratitude et du mépris dont il a fallu triompher. Blanche est debout dans son Palais, épuisée mais en vie, honorée de cicatrices et chargée de trophées.

Ses enfants se tiennent dans l'assemblée : trois fils et trois filles, eux-mêmes engagés dans l'Armée, tous revêtus de leur uniforme. Ils sont beaux, ses enfants, et courageux. Ses fils ont combattu durant la Grande Guerre. Ses filles se sont enrôlées très jeunes en tant qu'officières. Dans quelques années, Irène, l'aînée, sera elle-même nommée Commissaire et prendra la tête de l'Armée, à la suite de ses parents.

Evangeline est venue d'Angleterre ; elle est là, l'amie de toujours, dont l'affection pour Blanche ne s'est pas démentie. Restée célibataire, elle n'a jamais rompu le serment qui les liait.

Blanche observe aussi Isabelle Mangin, sa « Manginette » comme elle a pris l'habitude de la surnommer, cette petite modiste de la rue du Quatre-Septembre engagée en même temps qu'elle dans l'Armée. Ensemble, elles ont connu l'âpreté des débuts, la faim, le froid. Elles ont ri comme elles ont pleuré. C'est à cette alliée de la première heure, à ce fidèle soldat, que Blanche a choisi de confier la direction de son Palais. Entre ses mains, le gigantesque navire n'est pas près de s'égarer.

Au début du mois de juillet, le Palais ouvre ses portes à ses premières résidentes. Parmi elles, Blanche reconnaît la jeune mère et son bébé, qu'elle avait découverts grelottant de froid dans un abri de fortune, sous la neige. Ils ont survécu, trouvant refuge dans quelque pension, se nourrissant chaque soir du bouillon distribué par la Soupe de Minuit. La jeune femme lui sourit dans le hall du Palais, son enfant dans les bras, et cette image pour Blanche est celle de la victoire, la vraie, la plus authentique, la seule digne d'intérêt.

Si l'heure de gloire a sonné, le combat n'est pas terminé. Déjà, les Peyron repartent en guerre. Blanche a d'autres projets, une Maison de la Mère et de l'Enfant. Albin quant à lui travaille à la conception d'une Cité de Refuge dans le XIIIe arrondissement, dont il veut confier les plans à l'architecte Le Corbusier.

Le 7 avril 1931, l'Association des Œuvres françaises de Bienfaisance de l'Armée du Salut est déclarée d'utilité publique. L'organisation de William Booth, longtemps conspuée, est unanimement reconnue.

Cette même année, le 30 avril, Blanche reçoit après Albin le titre de Chevalier de la Légion d'honneur, qui lui est remis dans la grande salle du Palais. Ce jour est aussi celui de leur quarantième anniversaire de mariage. Ils le célèbrent auprès de leurs enfants et petits-enfants réunis.

Ces réjouissances sont de courte durée. La santé de Blanche se dégrade brutalement. Quelque temps plus tard, le docteur Hervier lui découvre un cancer généralisé. Blanche accueille la nouvelle avec courage. Elle choisit de n'en rien dire, tenant à garder le secret. Jusqu'au bout, elle refuse la morphine et les médicaments qui lui sont proposés. Elle a combattu fièrement toute sa vie, pas question de flancher devant l'éternité.

Albin est auprès d'elle jusqu'au dernier instant. Il la veille, jour et nuit.

Lorsqu'il sent que les forces l'abandonnent, il s'approche et lui murmure ces mots qu'il lui avait écrits il y a si longtemps, il y a toute une vie – ils venaient à peine de se marier que Blanche recevait un ordre de mission l'envoyant en tournée aux États-Unis. *Je te garde aussi sûrement que tu m'emportes*, avait-il dit.

Ces mots, Albin les souffle une dernière fois à celle qui a partagé sa vie, à son *ange combattant* en train de déposer les armes, à son *soleil* qui n'a jamais cessé de briller, et dont les rayons s'éteignent lentement, en cette après-midi du mois de mai. Il lui dit qu'elle s'est bien battue, qu'elle a le droit de se reposer à présent. Il promet qu'il lui survivra, quelques années seulement, le temps de parachever leur œuvre, de bâtir ces autres palais qu'ensemble ils ont imaginés.

Soudain, Blanche est là. Debout, devant lui. Elle n'est plus ce corps affaibli et mourant, mais une jeune officière de vingt ans, fière et volontaire, sur le chemin de terre. Elle regarde Albin et sourit, avant d'enfourcher le grand-bi.

Elle lâche alors sa main et s'élance vers la lumière.

Blanche s'éteint le 21 mai 1933. Dans son uniforme salutiste, elle part vers d'autres cieux mener d'autres combats.

La cérémonie funèbre se déroule le 24 mai, dans la grande salle de réception du Palais. Albin ne peut concevoir que le dernier hommage à sa femme se tienne loin de ces murs. Si certains combats méritent une armée, celui de Blanche s'est incarné là, tout entier. Elle est ici, dans ce bâtiment qui révèle à lui seul la force de son engagement. Albin fait recouvrir les murs de tentures blanches ; il ne veut pas de noir, pas de couleurs sombres ce jour-là. Ni fleurs, ni gerbes, ni couronnes – Blanche n'aurait pas voulu de ce genre d'apparat.

Le seul bouquet qui orne le cercueil est celui d'une petite fille de sept ans venue y déposer une poignée de fleurs des champs, qu'elle a cueillies elle-même. Cette enfant, c'est le bébé que Blanche a voulu sauver de l'abîme en lui construisant un palais.

Les résidentes assistent toutes à la cérémonie. Elles sont là, même les plus âgées, qu'on a dû aider à marcher. Elles ont quitté les étages, les chambres, les cuisines, les couloirs, ont descendu le grand escalier. Elles sont des centaines à rejoindre l'immense salle du rez-de-chaussée, destinée aux arbres de Noël et aux festivités. La salle est comble, tout le monde n'a pas pu entrer. La foule est partout, dans le hall, dans le grand foyer, jusque dans la rue. Il y a là toutes les religions, toutes les origines mêlées, salutistes, protestants, juifs, catholiques, libres-penseurs, amis, admirateurs, écrivains, savants, hauts fonctionnaires, hommes politiques, femmes du monde, ouvrières, prostituées... Du plus puissant au plus démuni, toutes les classes de la société sont représentées.

La foule reste debout pendant l'éloge funèbre. Puis le cortège se met en marche, prend la direction de la gare de Lyon, autour du cercueil de Blanche porté par Albin et ses fils. Dans les rues silencieuses, les automobilistes regardent passer l'étrange procession, où se mêlent indifféremment préfets et indigents.

Blanche est inhumée à Saint-Georges-les-Bains, en Ardèche, où elle aimait venir se ressourcer. Dans ce *temple en plein air,* comme elle se plaisait à l'appeler, sa tombe regarde vers le soleil levant. Selon ses dernières volontés, ces mots de Job y sont inscrits, ceux-là mêmes qui lui furent si chers tout au long de sa vie :

Jette l'or dans la poussière,
L'or d'Ophir dans les cailloux des torrents.

Si le corps de Blanche repose en cette ultime demeure, son âme est ailleurs, Albin le sait. Elle est dans ce foyer, dans ces couloirs, dans cette salle de réception, dans ces chambres, dans chaque recoin de ce Palais. Elle est dans chaque femme qui l'habite, dans toutes celles qui, un jour, viendront s'y réfugier. L'Histoire ne retiendra pas son nom. Le monde oubliera qui était Blanche Peyron. Cela importe peu, elle n'a pas vécu pour la gloire. Mais une chose d'elle lui survivra. Son Palais. Il bravera le temps et les années. La voilà, sa postérité. Le reste ne l'intéressait pas.

Le reste, finalement, ne l'a jamais intéressée.

Chapitre 28

Paris, aujourd'hui

Elle est arrivée quelques jours avant Noël. Une enveloppe longue et fine, de plus grande taille que celles utilisées pour les envois courants. Salma l'a tout de suite remarquée dans la pile de courriers distribués au Palais, ce matin-là. Elle a observé les caractères élégants, les majuscules finement tracées, le grammage noble du papier.

Une lettre à l'attention de Solène, adressée au Palais.

Venant d'un autre Palais, loin d'ici, peuplé de têtes couronnées.

Lorsque Salma la lui a remise, Solène a immédiatement deviné ce que l'enveloppe contenait. Elle a éclaté d'un rire incrédule, sonore et lumineux, qui a empli tout l'espace de l'accueil et du grand foyer. Durant un instant, le Palais a résonné de sa joie, lancée à la face du malheur comme une poignée de confettis. Cela faisait longtemps que Solène n'avait pas autant ri.

Elle n'a pas ouvert l'enveloppe, elle ne s'y est pas sentie autorisée. Elle s'est hâtée dans les couloirs, pressée de la remettre à sa destinataire – elle-même n'a joué qu'un simple rôle d'intermédiaire.

Cvetana quittait son studio lorsque Solène a surgi devant elle, la lettre à la main, émue, essoufflée, excitée comme une enfant devant un cadeau. Cvetana l'a dévisagée d'un air surpris, a saisi le pli qu'elle lui tendait. Elle a observé l'enveloppe et l'entête de *Buckingham Palace*, avant de la fourrer dans son caddie et de s'éloigner, sans un mot, sans un merci. Solène est restée les bras ballants, au milieu du couloir, ahurie.

Elle a pensé alors que ces femmes n'avaient pas fini de la surprendre. Et qu'à dire vrai, cela lui plaisait. Ici les règles du jeu étaient brouillées, les cartes sans cesse rebattues, redistribuées. La vie à réinventer.

En regagnant le grand foyer, Solène a découvert un attroupement autour de Binta. Les Tatas se pressaient auprès d'elle, faisant circuler une photo que chacune commentait. Elles se sont écartées à l'approche de Solène. Binta l'a regardée, les yeux brillants, en lui tendant le cliché.

C'est lui, a-t-elle dit. *C'est mon fils. Il m'a écrit.*

Solène a saisi la photo de Khalidou. Un beau garçon de huit ans, déjà fort, souriant. Une bouffée d'émotion l'a envahie. Les larmes ont affleuré à ses yeux, comme autant de petits ruisseaux qu'elle n'a pu endiguer. L'une des Tatas a soupiré. *Ça recommence,* a-t-elle soufflé, *elle va se remettre à pleurer.*

Et Solène a souri, en songeant qu'elle ne serait peut-être jamais écrivain, jamais une grande romancière, mais qu'elle était une plume, oui, de cela elle était fière ; une plume de colibri, au service de ces femmes que la vie avait malmenées et qui gardaient la tête haute, toujours la tête haute, comme la Renée.

Ce soir, c'est le dîner de Noël au Palais. Il se tient dans l'immense salle de réception, que l'on ouvre pour les grandes occasions. Un arbre gigantesque a été décoré, une longue table dressée. Toutes les résidentes sont là, ainsi que la directrice et les employés, les assistantes sociales, les éducatrices jeunes enfants, les experts-comptables, les agents d'entretien, les bénévoles comme les permanents. Solène aussi est conviée. Pour la première fois, elle a décliné l'invitation de ses parents au traditionnel réveillon. Ils ont été surpris. Elle leur a expliqué qu'elle avait d'autres projets pour la soirée, qu'elle passerait le lendemain les embrasser.

Elle a téléphoné à Léonard pour lui proposer de l'accompagner au Palais. Son invitation n'était pas tout à fait désintéressée. Elle cherchait un volontaire pour endosser le costume du Père Noël et distribuer des cadeaux aux enfants. À son tour de le débaucher ! Léonard a ri et s'est empressé de dire oui, heureux de trouver un peu de compagnie en ces fêtes qu'il appréhendait de passer seul.

Sur l'immense tablée sont réunis les mets et les plats cuisinés par chacune. Toutes ont mis la main à la pâte. Binta a préparé son *foutti* ; elle a revêtu ses habits de fête, un *blóónj* aux couleurs de la Guinée. Auprès d'elle, Sumeya arbore le pull que Viviane lui a tricoté – pas question de porter autre chose. Non loin, l'infatigable tricoteuse continue à jouer des aiguilles ; l'hiver est rude, elle a plusieurs commandes à honorer. Après moult négociations, la Renée a finalement accepté de venir sans ses cabas ; pour la première fois, elle a consenti à les laisser dans ses placards. Elle avoue néanmoins qu'elle n'est pas tranquille, elle ira vérifier au cours de la soirée s'ils sont toujours là.

Les Tatas ont sorti leurs boubous d'apparat. Elles ont enfilé leurs colliers, leurs bijoux, qui cliquettent autour d'elles comme de minuscules criquets. Leurs étoffes forment un arc-en-ciel, un tourbillon de couleurs au milieu du Palais. Passant des unes aux autres, Cvetana exhibe fièrement son autographe de la reine d'Angleterre. *On l'a déjà vu mille fois,* lui lance une des Tatas, énervée, *tu nous fatigues avec ça.*

Iris est assise auprès de Fabio. Ces deux-là paraissent complices. Nul ne sait exactement quelle est la nature de leur relation. Iris n'en a rien dit, ni à Solène ni aux autres. Elle a l'air d'éprouver un certain plaisir à laisser planer l'ambiguïté. Elle surprend des regards de convoitise vers le jeune danseur. De nombreuses résidentes s'imagineraient volontiers à son bras. Il semble que Fabio n'ait pas encore choisi. Qu'importe. Iris est là aujourd'hui, près de lui. Dans les mois qui suivront, elle s'éprendra d'un professeur d'anglais nouvellement arrivé. Elle oubliera Fabio et la zumba. *C'est la vie*. Ainsi va l'amour au Palais.

Tout au bout de la table, une chaise est laissée vide ainsi qu'un couvert, en hommage à Cynthia. Pour qu'on ne l'oublie pas.

D'une voix émue, Zohra, la vieille femme de ménage, demande le silence. Elle a tenu à préparer un discours, avec l'aide de Solène. Après quarante ans de service, elle fête son dernier Noël au Palais. L'heure de la retraite a sonné. Il y a tant de choses qu'elle aimerait dire aux résidentes. Qu'elles ont été sa famille tout au long de ces années, ses sœurs, ses amies, ses cousines. Qu'elles lui ont donné du fil à retordre parfois, mais aussi tant de joie. Qu'elle se sent triste de les quitter, mais qu'elle est heureuse de pouvoir enfin se reposer. Qu'elle reviendra prendre le thé avec elles, de temps en temps, dans le grand foyer.

À la fin du dîner, Salma s'assoit devant le piano à queue et interprète un air de fête. La musique envahit le hall, les couloirs, chaque salle, chaque recoin du Palais. Salma joue bien. Elle a appris à l'âge de dix ans, lorsqu'elle est arrivée ici. Durant ses années passées au foyer, elle a eu le temps de s'entraîner, avoue-t-elle, même si le piano n'était pas toujours accordé.

En l'écoutant, Solène se dit qu'elle est bien singulière, cette petite musique du Palais. Elle est déroutante, surprenante, dissonante parfois, mais puissante toujours, habitée. Léonard se tient à ses côtés. Il semble avoir oublié son blues de fin d'année. Il a l'air heureux de partager ce moment avec elle. Il a retiré son costume de Père Noël après avoir distribué des cadeaux aux enfants. Solène a observé leurs yeux brillants. Sumeya a reçu une poupée, qu'elle est en train d'habiller tout en mangeant des truffes en chocolat. À cet instant, Solène croise le regard de Léonard. Et remarque son sourire, pour la première fois. Il est joli, se dit-elle, étonnée. Il a le charme des âmes blessées, de ceux qui sont tombés et se sont relevés.

Elle songe alors à cette phrase d'Yvan Audouard, tracée sur un mur, non loin d'ici, *Heureux soient les fêlés car ils laisseront passer la lumière.* La lumière est intense ce soir-là, elle brille de mille feux au Palais.

Le dîner s'achève en apothéose sur la bûche pâtissière de Lily. Lorsqu'elle paraît, tous applaudissent. La bûche est magnifique – de quoi régaler le plus fin des palais. Son professeur de CAP avait raison. Lily est douée.

Pour l'instant, la jeune femme ne réside pas officiellement au foyer. La liste d'attente est longue. Il faut être patient. Pour parer au plus urgent, la directrice lui a trouvé un lit dans le gymnase, ouvert à la faveur du Plan Grand Froid. Ce n'est pas le luxe, mais c'est déjà ça. Lily ne dort plus dehors. Elle ne retournera pas dans la rue, la directrice le lui a promis. C'est un principe, à l'Armée du Salut : lorsqu'on vous tient la main, on ne la lâche plus.

En tant qu'Ange, Solène a pris du galon. Elle s'est découverte étonnamment acharnée dans son combat pour Lily – un vrai bulldozer, a dit Léonard, lui-même surpris. Elle s'est senti pousser des ailes, investie d'une énergie inhabituelle. Elle ignore d'où elle tire cette force nouvelle. Lui vient-elle du Palais ? De l'ombre de Cynthia, qui plane au-dessus d'elle ? À moins que ce ne soit celles de ces milliers de femmes qui ont trouvé refuge ici, depuis la création du foyer ? Dans quelques années, le Palais fêtera son premier siècle. Cent ans au cours desquels il n'a jamais failli à sa mission : offrir un toit aux excluses de la société. Il a pris l'eau parfois, mais il est là, tel un phare dans la nuit, une forteresse, une citadelle. Solène est fière de faire partie de son histoire. Cet endroit l'a sauvée, elle aussi. Il l'a aidée à se relever. Elle va bien aujourd'hui. Elle n'a plus besoin de cachets. Elle se sent utile, en paix. À sa place, pour la première fois de sa vie.

Quelques semaines après le réveillon, elle reçoit un appel de la directrice. Une des Tatas vient enfin d'obtenir le HLM qu'elle attendait. Un studio s'est libéré. Lily va pouvoir entrer officiellement au Palais.

Solène tient à l'accompagner. Elles se donnent rendez-vous devant les marches du Palais. Ensemble, elles passent les portes de l'entrée, s'avancent vers l'accueil où les attend Salma, derrière son comptoir en Formica. Celle-ci tend à Lily une carte magnétique pour l'accès à sa chambre, et une clé pour sa boîte aux lettres. Ce petit bout de métal, Lily reste longtemps à le contempler. Avoir une clé, ce n'est pas rien. C'est avoir une vie.

Précédées de la directrice, elles empruntent le grand escalier menant aux étages. Au passage, elles saluent Cvetana, qui ne leur répond pas. Elles croisent la Renée avec ses cabas, Viviane tirée à quatre épingles, ses aiguilles à la main, Iris en train de rédiger un poème pour le professeur d'anglais. Elles longent le couloir des Tatas, les studios de

Binta, Sumeya et les autres, passent en silence devant l'ancienne chambre de Cynthia, pour s'arrêter enfin devant une porte.

Une plaque y est apposée.
Dessus, un nom. Celui d'une inconnue. Blanche Peyron.

Plus tard, Solène fera des recherches et découvrira l'histoire de cette femme dont l'Histoire a effacé le nom. Une femme qui s'est battue, il y a presque cent ans, pour que d'autres femmes aient un toit. Solène sentira alors un étrange courant la traverser. Elle se dira qu'il est temps de se mettre au travail, d'écrire enfin ce roman. Elle racontera la vie de Blanche, son œuvre et son combat. Elle ne manquera pas d'inspiration. Les mots viendront d'eux-mêmes dans son filet à papillons.

Lily a vingt ans aujourd'hui. Elle est la dernière arrivée des femmes du Palais. Elle a trouvé un toit, un refuge, un abri. Son errance est terminée.

Maintenant, sa vie peut commencer.

Le temps est venu de m'en aller,
En silence, sur la pointe des pieds.
Je n'emporte rien avec moi.
Je n'ai rien créé ici-bas,
Rien construit, rien produit,
Je n'ai rien enfanté.

Ma vie n'a été qu'une étincelle éphémère
Anonyme, comme tant d'autres, oubliées de l'Histoire.
Une petite flamme, infime et dérisoire.
Qu'importe. Je suis là, tout entière,
Dans le souffle de ma prière.

Vous qui me survivrez,
Continuez à vous battre,
Continuez à danser,
Et n'oubliez pas de donner.
Donnez de votre temps, donnez de votre argent,
Donnez ce que vous possédez,
Donnez ce que vous n'avez pas.

Quand votre heure aura sonné,
Vous vous envolerez vers des cieux inconnus,
Et vous vous sentirez plus légers.
Car je le dis, en vérité :
Tout ce qui n'est pas donné est perdu.

Sœur anonyme,
Couvent des Filles de la Croix,
XIXe siècle

L'auteure tient à remercier chaleureusement ceux qui ont rendu possible l'écriture de ce roman :

Au Palais de la Femme : Sophie Chevillotte et toute son équipe, dont Stéphanie Caron de Fromentel, Émilie Proffit, ainsi que Jérôme Potin, délégué du Défenseur des droits, et l'ensemble des résidentes.

À l'Armée du Salut : Samuel Coppens et Marc Muller.

Un grand merci à Juliette Joste, Olivier Nora et l'équipe au grand complet des éditions Grasset pour leur confiance et leur soutien.

Merci également à Sarah Kaminsky, Tuong-Vi, Georges Sarfati et Damien Couet-Lannes.

Et à Oudy, toujours.

Le Livre de Poche s'engage pour
l'environnement en réduisant
l'empreinte carbone de ses livres.
Celle de cet exemplaire est de :
200 g éq. CO_2
Rendez-vous sur
www.livredepoche-durable.fr

PAPIER À BASE DE
FIBRES CERTIFIÉES

Composition réalisée par PCA

Achevé d'imprimer en France par
CPI BRODARD & TAUPIN (72200 La Flèche)
en avril 2020
N° d'impression : 3038501
Dépôt légal 1re publication : mai 2020
LIBRAIRIE GÉNÉRALE FRANÇAISE
21, rue du Montparnasse – 75298 Paris Cedex 06

88/8957/4